PIADAS NERDS

CIP-BRASIL. CATALOGAÇÃO NA FONTE
SINDICATO NACIONAL DOS EDITORES DE LIVROS, RJ

B245p

Baroni, Ivan
  Piadas nerds : o melhor aluno da classe também sabe contar piada / Ivan Baroni, Luiz Fernando Giolo, Paulo Pourrat ; [ilustrações Carlos Ruas]. - Campinas, SP : Verus, 2011.
  il.

  ISBN 978-85-7686-132-4

  1. Anedotas. 2. Humorismo brasileiro. I. Giolo, Luiz Fernando. II. Pourrat, Paulo. III. Título.

  11-1011   CDD: 869.97
                                  CDU: 821.134.3(81)-7

**IVAN BARONI
LUIZ FERNANDO GIOLO
PAULO POURRAT**

PIADAS NERDS

O melhor aluno da classe também sabe contar piada

Editora
Raïssa Castro

Coordenadora Editorial
Ana Paula Gomes

Copidesque e Revisão
Ana Paula Gomes

Capa e Projeto Gráfico
André S. Tavares da Silva

Ilustrações
Carlos Ruas

© Verus Editora, 2011

Todos os direitos reservados.
Nenhuma parte desta obra pode ser reproduzida ou transmitida por qualquer forma e/ou quaisquer meios (eletrônico ou mecânico, incluindo fotocópia e gravação) ou arquivada em qualquer sistema ou banco de dados sem permissão escrita da editora.

VERUS EDITORA LTDA.
Rua Benedicto Aristides Ribeiro, 55
Jd. Santa Genebra II - 13084-753
Campinas/SP - Brasil
Fone/Fax: (19) 3249-0001
verus@veruseditora.com.br
www.veruseditora.com.br

Aos nossos pais,
nossos primeiros professores

AGRADECIMENTOS

Agradecemos a todos os criativos nerds piadistas que já tiveram sua piada aproveitada em nosso perfil de Twitter (@PiadasNerds) ou que já nos ajudaram de alguma forma:

@3Brito, @Abakaue, @abheseis, @afonsof, @alcinojr, @AlexJBS, @alexwill05, @alexxcassoni, @alicezb, @Allan_Medeiros, @allanderbf, @almeida_it, @AmandaFreire__, @anaandreolla, @anderarndt, @andersonhoc, @andersonrizada, @Andre__Cristian, @Andre_Noel, @Andre_Suporte, @andreaamachado, @andrehena, @AndrewCaze, @angelagolds, @anibalsolon, @animerda, @AninhaLauraE, @antoniodourado, @AronFreller, @arparolin, @arthur_bio_br, @ArturBoni, @ateuwiter, @aug_m, @augustotgp, @axelzito, @AzumaGuilherme, @baka_antsu, @Berne023, @Bestknighter, @betzersso7, @biagrint, @biel_alessandro, @Biiaromero, @bixete, @Bo_Beira, @BozHenrique, @BrenoMVAlves, @brolesi, @bruno_bolaxa, @BrunoFQS, @BrunoPioi, @brunorox, @brunosindicic, @Bruwnie, @btco, @buda_jon, @CaiioAndrade, @carlacristinass, @carlasukeyosi, @CarolMaCoelho, @CasTonon, @castrojhonny, @cauesciascia, @Cebolinhabh, @celsofaf, @cesarmmw, @ChayMuquim, @chicorei, @ClaudioVN, @cleydyr, @cluelessbastard, @colrios_sp, @CramonNS, @Danilobcz, @dariopianosilva, @davitelesf, @Defelper, @dehsastrado, @dekonomics, @delcastanher, @Dellmanns, @dequemeadianta, @DeysiDias, @divinatragedia, @Djeriz, @DocBrownBR, @Doutoradofacts, @dramaqueen042, @_dres, @drianis, @Duduzitz, @DuFaim, @duksfts, @dulcidio, @e_quantum, @EagleQueiroz, @EarlTrancy, @EC_Photo, @edinhomalvadeza, @edmarruvsel, @edu_pururuca, @eduardotoso, @efarsas, @egleidson, @ehseriolekka, @Ehzehmath, @elfomelo, @elyFranklin, @emarula, @emilio_garras, @erichcr, @Eutiquio, @fabgattoesa, @Fabinhou, @FadingReality,

@fatorell, @feelgoodinc, @feh_joker, @fernandoasevedo, @fgaensly,
@filipebra, @flaazevedo, @flavia_nascim, @florabalieiro, @foscarini,
@fran0307, @_FranzLiszt, @fredblacksmith, @g0nc1n, @gabluiz,
@gabriellaborges, @GabrielRozendo, @gabzmoreira, @gandbranco,
@gelinhosama, @GigiNucci, @gleisonaraujo, @GPssoa, @guga_fm,
@GuiPandini, @gustavo_goes, @gustavoboese, @gustavora, @guuuiluna,
@Heberrr, @heloa_aires, @henriqueup, @henriquewicz, @herbertsds,
@hitaisaka, @humberto_nandes, @humornaciencia, @iagoslavia,
@icaroturci, @idiotweets, @iltonjr, @imnotfinished_, @itadeufa,
@itsmaarc, @iu_oliveira, @ivogamareis, @izzynobre, @JadeMNunes,
@JamilAbdalah, @jasonptodd, @jessgardin, @jessicaniets, @Jf_Viana,
@jhoonb, @jodevan, @johnriggsx, @Jonatan7BR, @jone_ratis,
@jonnyken, @jpduduch, @JubaUno, @jufter, @_JuhMonteiro,
@JulBorella, @JustinMauro, @Juuhze, @K_sa_, @Kadu_NovoK,
@kaueserra, @kbssalira, @kedraroth, @kikibianc, @KLEIN_e,
@Krlosenri, @Krol_ana, @kyabeterraba, @kylefelipe, @lancellotti_dan,
@larissinha_dias, @LBKatan, @LdeMarte, @Leandrojal,
@LeandroMarconi, @LeBatera, @LeHouat, @lennacs, @lenolas,
@leo9266, @leohackin, @LeopGalt, @_Lind0mar_, @lipdiego, @lipeatt,
@LipeBarba, @lixbearg, @liz_vm, @lkBorba, @LouKs_85, @lu_brito,
@Lucas_Kenobi, @lucas_mora, @lucascacau, @LucasFarbo,
@lucaslrodrigues, @lucaspolo, @lucasS2roberta, @lucianombs,
@LuhLuhLucas, @_luisferraz, @luizcall, @LuizLage, @luquinhaz,
@lv_lopes, @magalhaesteles, @ManelMergulhao, @marcelMcz,
@Marcelo_Franco, @MarceloNovaes, @_marcelosar, @MarcioMRT,
@marcosadeodato, @marcoscastro, @marcosmahx, @marinafm,
@_Marioalves, @MarioRinaldi, @martorelli, @Mateussf, @Mateusvsv,
@matheusramin, @maurihirata, @mbertanha, @mccintra, @melodaf,
@mestreyodafala, @mGalo, @MikePunkeka, @milamesmo, @millesalvi,
@milondiogo, @mimaballet, @mmagenta, @Mosblenarufa,
@MR_Evandro, @Mundo_Vazio, @MussumAlive, @muydebuenas,
@mvlaran, @MVNCIUS, @_n85, @NaliceF, @Natan_Lima,
@nathalia_belle, @NERDSubs, @NoGue2k, @Nukdf, @oficialtoquinho,
@opalhacinho, @Os_Vigaristas, @Pablosica, @palomadoss,
@PamQuinzani, @PandawanKid, @Panz_e_Pimba, @Papagoiaba,
@paulogualberto, @pcollares, @Pedro__Pepeu, @Pedro_Nishida,
@pedrotrevisan, @petersondanda, @physicistAngel, @Piadinhas_haha,
@Pintuitter, @posgraduando, @pra_paulitchas, @pradsprads,

@Prestowww, @prodnorris, @prof_marioandre, @quasebom, @Raafa_SEP, @rafael_douglas, @rafaelcomph, @RafaelTerras, @rafaspinola, @raphaela_franca, @raphaelinacio, @raphamotta, @raulbatata, @rbaglioni, @rdamazio, @relegarum, @renanctmiranda, @rhayra, @ricardo_marinho, @RicardoAMarino, @ricardobik, @rjpinheiro, @RobertoGauer, @rocha_rafa, @rodolfo_ramos, @RodolfoBurn, @rodrigo_tomaz, @roizdoci, @ronnnney, @rpc_1910, @rromais, @Ruan_Espindola, @SaiLoong, @saladaonirica, @Samuk192, @SarutobiWill, @saullete, @seguirleoramos, @sensacionalista, @shamyllaliz, @sigammeosmaus, @Sir_Otavio, @snorlaxvalle, @snowwhite_rawr, @sourafaelcosta, @sousaazvd, @spbutterfly, @spharta, @su_galhego, @suboatto, @Subway_song, @suco_de_uva, @Suguma, @SuperCaruso, @Talles_Santana, @taritcha, @tatahponey, @Tatiane__Costa, @td_nome_jaexist, @TeacherTchelo, @ted_bsb, @Teus_Spirit, @thauanfidelis, @The_Jux, @thiago_solino, @tiagofassoni, @Tio_Panda, @TioBuck, @tionilo, @tiqX, @tmicelicr, @Tokunxd, @toony_yc, @torreti, @TransNonSense, @usernone, @Van_Little, @VanaAlemoa, @victorlust, @VictorRomero85, @VilsonZerofuku, @vinibeleze, @viniciusepiplon, @viniquimico, @vinisan, @vm_cp, @Voldemorto, @vonMayheM, @vvbapollinario, @WallysonPablo, @waoint, @wellingtonkgb, @WertonGuimaraes, @willian_cintra, @xnear, @YgorFremo, @yurinunes_, @yuriramos, @Zaymo, @zhldh, @ZuiaVeloso.

SUMÁRIO

Introdução.. 11

1. Séries
Namorados nerds.. 18
Epitáfios nerds 19
Teste: Sua mãe é nerd?... 20
Teste: Seu pai é nerd?... 22
O namorado engenheiro 23
Nerds na política... 24
Lex Luthor para presidente.. 25
Calendário nerd 27

2. Matemática
Introdução (*Marcos Castro*) 32
Piadas de matemática... 34
Lanchonete no País da Matemática.............................. 42

3. Ciências humanas
Introdução (*Carol Zoccoli*).. 48
Piadas de humanas.. 49
E se existisse Twitter na época do descobrimento?.................. 59

4. Química
Introdução (*Fernanda Poletto*) 66
Piadas de química... 68
Tweetnovela: Metil matou um cara 75

5. Física
Introdução (*Dulcidio Braz Jr.*) 82
Piadas de física 83
Como fazer uma prova sem relógio 92

6. Biologia
Introdução (*Atila Iamarino*) 98
Piadas de biologia 100
A cozinha maravilhosa do biólogo:
preparando a sopa primordial 107

7. Informática
Introdução (*Henrique Fedorowicz*) 112
Piadas de informática 113
O Evangelho segundo os nerds 121

8. Cultura nerd
Introdução (*Fernando Caruso*) 126
Piadas de cultura nerd 127

INTRODUÇÃO

Piadas nerds. O que elas têm de especial?

Todos adoramos ouvir e contar piadas, mas você deve estar pensando: Onde está a graça em piadas tão "difíceis"? Por que não ficar nas tradicionais, em que o entendimento é universal e o riso é garantido? Bem, se não são todos que riem com essas piadas, isso torna especial aquele que ri. Em se tratando de piadas nerds, parte da alegria da risada está no fato de ter conseguido entender. É muito bom para o ego entender uma piada nerd, nos faz sentir inteligentes! E se, ao contarmos, a outra pessoa não entender, uma temporária sensação de superioridade será suficiente para nos fazer querer contar a piada a outro alguém.

Mas, falando assim, parece que o clã dos piadistas nerds é composto apenas por egoístas exclusivistas e sádicos, desses que se divertem com a ignorância alheia. Não é verdade! Apesar do prazer de se sentir especial ao entendê-las, o grande barato é que as piadas nerds ajudam a corroborar uma tese que toda pessoa curiosa tem dentro de si: o conhecimento pode ser divertido.

Como elas nascem?

Piadas assim são geralmente criadas em momentos de tédio por alunos mais aplicados – que sentam do meio da classe para frente – na tentativa de se distrair por um instante. Os que sentam no fundão normalmente já estão bastante distraídos. E é então que, naquela longa aula de geometria, o professor dispara: "Cotangente". Um aluno de espírito mais lúdico não resistirá ao impulso de brincar com o "palavrão" e comentará com o colega ao lado: "Olha só 'cotangente' boiando nessa aula!"

Comentários desse tipo são eventualmente seguidos de bolinhas de papel vindas da galera do fundão. Ação e reação. E é por isso que o nerd piadista está sempre aprimorando a skill da contagem de piada, a fim de minimizar possíveis retaliações não nerds.

A arte de contar piada... nerd!

No humor nerd, metade da graça está em olhar para a cara de quem não entendeu a piada. Ela varia desde um "Afff" desdenhoso de quem não entendeu nem quer entender até um "Cuma?!" em certo tom de pânico de alguém que vai prestar vestibular no fim do ano e pensa que deveria ter entendido. Talvez devesse mesmo.

Mas cuidado! É preciso saber como contar uma piada nerd. Se estiver acompanhado de um grupo pequeno, tudo bem. Talvez eles nem riam, mas você estará lá, vendo a cara deles. Seja como for, são grandes as chances de que se divirta mais do que eles. Agora, se for um grupo muito grande, como em um clube, um churrasco ou até uma sala de aula, não se engane: eles rirão DE você, e não COM você.

Em outras palavras, contar piadas nerds pode ser comparado ao ato de matar zumbis. Se for apenas um ou dois indivíduos, manda ver! Você conseguirá exterminá-los com certa facilidade (eles são lerdos). Será até divertido. Contudo, se se tratar de uma horda deles, não invente: fuja! A probabilidade de você acabar mordido, infectado ou ter o cérebro devorado é muito grande. (Aliás, você sabia que o cérebro de um nerd piadista é mais saboroso e nutritivo? É o favorito de oito entre dez zumbis.) Resumindo: a estratégia é dividir e conquistar.

Nerdismo em ascensão

Com a evolução tecnológica dos últimos anos, a figura do nerd passou a ser mais bem-vista pela sociedade. Se antes o nerd era um babão de camisa xadrez e gravata-borboleta, hoje ele é um babão que pode arrumar seu computador e facilitar imensamente sua vida. Confesse, garota, quem você iria querer ao seu lado na noite em que seu computador quebrou e você precisa entregar o trabalho final de geografia no dia seguinte? Um nerd ou o Rodrigo Santoro? Ok, ok... Eu sei que você respondeu Rodrigo Santoro. Tomara que seja reprovada para aprender! Mas, apesar de as estrelas da TV continuarem em primeiro plano, a estrela do nerd tem brilhado cada vez mais. Somos os indivíduos mais adaptados à era da informação.

A cultura pop também está do nosso lado: cada vez mais filmes, livros, gibis e programas de TV estão sendo produzidos para essa tribo. E não, não vou dizer que o nerd está na moda. Moda passa, nós viemos para ficar!

Foi seguindo os bons ventos geeks que resolvemos lançar este livro, uma compilação do melhor já postado pelo perfil de Twitter @PiadasNerds. Apesar de ser um livro de piadas, você vai notar que este é diferente. Antes de um livro de humor, é um livro NERD! Como diz o *slogan* da série *The Big Bang Theory*, "Smart is the new sexy". (Não, você não vai encontrar a tradução dessa frase nem aqui nem no rodapé. Não falei que este livro era diferente? Dica: seja *smart* e procure no Google.) Esperamos que o conhecimento contido neste livro torne você uma pessoa mais interessante, mais atraente ou pelo menos mais bem preparada para o vestibular.

Este livro organiza as piadas por assunto, cada um com uma introdução brilhantemente escrita por um convidado de destaque nas áreas do humor e da ciência. Amor e ódio o permeiam, com as cantadas e as ofensas nerds. É possível ainda encontrar Chuck Norris exibindo seu lado mais estudioso e mostrando que é fera também em ciência.

É improvável que você entenda todas as piadas. Caso não saque alguma, fica aqui nosso convite para que pesquise na internet e assim possa rir de todas (lembre-se: um nerd está sempre estudando).

Prometemos: seu cérebro mais nutritivo e saboroso ou seu dinheiro de volta.

Boa leitura,
Ivan Baroni
@PiadasNerds

1. SÉRIES

Este capítulo é dedicado às séries de tuítes de maior sucesso do @PiadasNerds. Afinal, nerd adora uma série...

Namorados nerds

Você, garota, já considerou escolher um nerd como namorado? Catalogamos alguns tipos. Escolha já o seu:

- **Namorado Smeagol:** Grudento, pegajoso e fica te chamando de "minha preciosa" o tempo todo.

- **Namorado Sonic:** Mal começa o namoro, sai correndo atrás das alianças.

- **Namorado Darth Vader:** Fica fungando no seu cangote e te dando arrepios.

- **Namorado Pacman:** Popular, comedor, mas vive fugindo dos fantasmas das ex-namoradas.

- **Namorado Mario:** Passa o dia em altas aventuras com os amigos e só vai encontrar sua princesa no final.

- **Namorado R2-D2:** Baixinho, carismático, mas você nunca entende o que ele diz.

- **Namorado Ash:** Chega junto e diz "Eu escolho você!", mas na verdade quer pegar todas.

- **Namorado Pikachu:** Parece um fofo e é superengraçadinho, mas só fala indecência.
- **Namorado Scott Pilgrim:** Enfrenta o mundo por você e nem se importa se você é muito rodada.

Epitáfios nerds

Você sabe: uma hora sua hora chega. E aí? Está preparado? Escolha seu epitáfio e imortalize sua nerdice em sua lápide.

† Tenho Twitter, Orkut, Facebook, blog etc. Quando morrer, que meu epitáfio seja: "Enfim off-line".

† "Fui! E sem backup..."

† "Enfim... tela azul! PAN!"

† Nerd condenado à morte: "Este ser humano executou uma operação ilegal e teve de ser finalizado".

† Webmaster: "</life>"

† "Só estou aqui porque deu lag. Senão..."

† Nerd espírita: "GAME OVER! Continue? 10... 9... 8..."

† Fã de *Mario*: "Entrei pelo cano".

† Fã de *Metal Gear*: "Snake? Snake? Snaaaaaaaaake????"

† Jogador de RPG: "Quest completed".

† Nerd que morreu de frio: "Sub-Zero wins! Fatality".

† Fã de *Final Fantasy*: "Compro Phoenix Down. Pago depois".

† Fã de *A caverna do dragão*: "E agora, Mestre dos Magos, como eu volto para casa?"

† Fã de *Os cavaleiros do zodíaco*: "Fui para o inferno derrotar Hades e resgatar Athena. Favor reunir Seiya e os outros".

† Fã de *Dragon Ball*: "Favor reunir as sete Esferas do Dragão".

† Fã de *Harry Potter*: "E eu achando que só ia ganhar uma cicatriz em forma de raio na testa..."

† Fã de *The Big Bang Theory*: "É só um cochilo... BAZINGA! Morri mesmo".

† Fã de *Lost*: "Te vejo em outra vida, brotha".

† Fã de *Resident Evil*: "Fui! Caso levante, favor atirar em minha nuca antes que eu morda alguém".

† Fã de *Jornada nas estrelas*: "Morte longa e próspera".

† "Morri de surpresa, como sempre quis. Aproveitei uma vida sem spoilers."

† Se o Steve Jobs tiver um mínimo de senso de humor, seu epitáfio será: "iDead".

Teste: Sua mãe é nerd?

- Mãe nerd na cozinha não experimenta receitas, testa reações químicas.
- Mãe nerd não grita para você sair da internet, manda um scrap pelo Orkut.
- Mãe nerd não diz "Pergunta pro seu pai", diz "Procura no Google".
- Mãe nerd programa para o filho nascer na sexta, só para dar #FollowFriday.
- Coração de mãe nerd não se engana, consulta a Wikipédia.

- Mãe nerd não joga cacheta, joga *Magic*.
- Mãe nerd não segue novela, segue *Lost*.
- Mãe nerd não faz tricô, resolve cubo mágico.
- Mãe nerd não diz "Vá com Deus, meu filho", diz "Que a Força esteja com você".
- Mãe nerd não chama os filhos de José, João ou Antônio. Chama de Luke, Spock e Sheldon.
- Mãe nerd, quando tem gêmeos, os chama de Ctrl C e Ctrl V.
- Mãe nerd não canta "Boi da cara preta" para o bebê, assobia a "Marcha imperial".
- Mãe nerd cozinha peixes para o filho quando este vai embora só para ouvi-lo dizer: "Até mais, e obrigado pelos peixes".
- Mãe nerd não faz a piada "É pavê ou pá comê", retuíta o @PiadasNerds.

Teste: Seu pai é nerd?

- Pai nerd não tem filho, tem Padawan.
- Pai nerd não ensina a andar de bicicleta, ensina a formatar computador.
- Pai nerd sabe que não basta ser pai, é preciso ensinar valores! Por exemplo: π = 3,14; e = 2,718; φ = 1,618 etc.
- Se o filho de 4 anos pergunta por que o céu é azul, o pai nerd tenta explicar toda a teoria da absorção atmosférica.
- Pai nerd não pede para o filho estudar, pede para acumular Exp Points. É que, para ele, passar de ano é Level Up.
- Pai nerd não dá chuteira de presente para o filho, dá um livro de AD&D.
- Pai nerd é muito chato quando vai ajudar o filho com o dever de casa, porque fica corrigindo o professor.
- Pai nerd não registra o filho no cartório, abre um perfil no Facebook.
- Pai nerd não dá o arquivo baixado para o filho, ensina a procurar o Torrent certo.
- Pai nerd não leva o filho ao médico, lhe dá potions.
- Pai nerd não comenta futebol com o filho, comenta quadribol.
- Sem nenhuma razão especial, pai nerd gosta de dizer: "Filho, eu sou seu pai".
- Pai nerd não contrata babá, constrói um C-3PO.
- Pai nerd não diz "Vai pela sombra", diz "Evite a grama alta".
- Pai nerd não se importa se você resolver virar mochileiro e começar a viajar por aí de carona. Ele só vai te lembrar de levar a toalha.

- Pai nerd não conta para o filho as dificuldades que ele ainda vai enfrentar na vida. É spoiler!

O namorado engenheiro

Atenção, garota, dizem que o nerd de hoje é o cara rico de amanhã. Mas, se ele for engenheiro, tome cuidado! Os namoros dos engenheiros não costumam durar muito. Descubra por quê:

- Por que o namoro do engenheiro civil acabou?
  Porque ele sentia que não era concreto.

- Por que o namoro do engenheiro químico acabou?
  Porque não rolava mais química, era um relacionamento puramente físico.

- Por que o namoro do engenheiro da computação acabou?
  Porque ela descobriu que ele fazia programas.

- Por que o namoro do engenheiro hidráulico acabou?
  Porque ela cansou de levar cano.

- Por que o namoro do engenheiro elétrico acabou?
  Porque ele fazia coisas que a deixavam chocada, e ela cansou de ter um "curto" em casa.

- Por que o namoro do engenheiro aeronáutico acabou?
  Porque ela não era mais aquele avião.

- Por que o namoro do engenheiro de telecomunicações acabou?
  Porque ela não ligava mais para ele.

- Por que o namoro do engenheiro mecânico acabou?
  Porque ele não a achava mais uma "graxinha".

- Por que o namoro do engenheiro espacial acabou?
  Porque ele sentia que precisava de mais espaço.

● Por que o namoro do engenheiro de alimentos acabou?
Porque acabou o Sazón.

● Por que o namoro do engenheiro naval acabou?
Porque o canhão da sogra fez a relação naufragar.

Nerds na política

Pretende entrar para a política? Quer saber como conquistar o eleitorado nerd? Bom, em primeiro lugar você precisa fundar a legenda 42 e o PVUTM – Partido da Vida, do Universo e Tudo Mais. Isso feito, repita uma das promessas abaixo:

● Prometo internet wireless rápida e de qualidade em todo o território nacional.

● Prometo que o klingon será ensinado em todas as escolas.

● Prometo instituir cotas Jedi nas universidades. Reparação histórica já!

● Se eleito for, minha plataforma de governo será PS3.

● Prometo reunir todos os Jedis e usar a Força como matriz energética limpa.

● Prometo pena de morte para quem cometer bullying, esse mal que aflige tantos nerds.

● Prometo distribuir Nintendo 3DS em vez de camisinha em escolas públicas. Afinal, com 3DS, quem precisa de camisinha? Em vez de fluidos corporais, os alunos trocariam, no máximo, Pokémons.

- Prometo criar a bolsa quad core e banir o IE do país.
- Prometo substituir as aulas de educação física nas escolas por Wii Sports, RPG e jogos de tabuleiro.
- Prometo lançar o Pacman, Programa de Aceleração do Crescimento Mundial do Acesso à Net.
- Prometo criar o projeto Ficha Livre – para fliperamas.
- No meu governo, a polícia federal será integrada à Skynet, assim poderemos exterminar o Sarney antes mesmo de ele ser eleito.
- Prometo pena de morte a quem colocar o dedo na tela do monitor. Principalmente do meu.
- Prometo implementar nas urnas o "who to vote", porque nerd que é nerd não usa cola.
- Questão energética: prometo estimular a criação de Pikachus para evitar o apagão.
- Prometo um canal de TV estatal em que só serão transmitidos reviews de games, seriados nerds, como *The Big Bang Theory*, e animes.
- Prometo mídias virgens e pen drive na cesta básica. Ah, e toalhas – essencial!
- Investimento na construção civil: prometo que em cada tijolo haverá uma moeda.
- Prometo a abolição da escravatura dos nerds que são obrigados a trabalhar de graça para parentes e conhecidos.

Lex Luthor para presidente

No Brasil, parece que política não é para gente honesta, é coisa de supervilão. Se é assim, por que não votar em um vilão conhecido?

Conheça as propostas e a campanha de Lex Luthor, nosso candidato a presidente para as próximas eleições:

- ▼ Por leis mais duras contra imigrantes superpoderosos!
- ▼ Em defesa do verde... das pedras vindas de Krypton!
- ▼ Por uma imprensa livre — livre do *Planeta Diário* de uma vez por todas!
- ▼ Pelo fim do caos aéreo. Voar? Apenas para os pássaros!
- ▼ Pela moral e os bons costumes — cueca só por baixo da calça!
- ▼ Pelo fim da dúvida sobre o caráter dos políticos. Chega de vilões mascarados no poder!

E quem seria nomeado para cada ministério?

- ▼ **Ciência e Tecnologia:** Brainiac.
- ▼ **Cultura:** Ozymandias.
- ▼ **Agricultura:** Espantalho.
- ▼ **Meio Ambiente:** dr. Robotinik.
- ▼ **Minas e Energia:** sr. Burns.
- ▼ **Justiça:** promotor Harvey Dent.
- ▼ **Relações Exteriores:** Freeza.
- ▼ **Previdência:** Voldemort.
- ▼ **Planejamento:** Cérebro (assessor: Pinky).
- ▼ **Saúde:** Ra's Al Ghul.
- ▼ **Desenvolvimento Agrário:** Hera Venenosa.
- ▼ **Transportes:** Dick Vigarista.

- **Defesa:** Darkside.
- **Educação:** professor Moriarty.
- **Esportes:** Surfista Prateado.
- **Pesca e Aquicultura:** Poseidon.
- **Trabalho:** sr. Richfield.
- **Turismo:** Galactus.
- **Fazenda:** Don Corleone.
- **Desenvolvimento Social e Combate à Fome:** dr. Hannibal Lecter.
- **Comunicações:** HAL 9000.
- **Integração Nacional:** agente Smith.
- **Indústria e Comércio:** Willy Coiote.

Lembrando que o candidato Lex Luthor tem grande apoio do senador Palpatine.

Calendário nerd

Quer contar piadas nerds novas o ano todo? Então decore o calendário de piadas a seguir. Tem para todos os meses!

JANEIRO
6 – Dia de Reis

✔ Fire, ice, lightning ou shadow? Afinal, de que tipo era a magia dos três reis magos?
Provavelmente, elemental, transmutação e feitiçarias variadas.

FEVEREIRO
Carnaval

✔ Nerds boêmios se preparando para a folia:
– Este ano vou de Internet Explorer, vou passar o carnaval todo travado.
– Já eu vou vestido de Firefox e passar a noite toda de fogo.
– E eu vou de Google. É que o Google Chrome.

MARÇO
8 – Dia Internacional da Mulher

✔ Elemento químico: mulher. Símbolo: Mu. Descobridor: Adão. Grande afinidade com ouro, prata e pedras preciosas. Se não for manuseado com cuidado, pode causar grandes dores de cabeça.

ABRIL
Páscoa

✔ Páscoa, época de agradecer àquele que lutou, morreu e ressuscitou por nós. Obrigado, Goku!

MAIO
Dia das Mães

✔ Nerd que é nerd comemora o Dia das Mães ao lado de sua placa-mãe.

JUNHO
Festa Junina

✔ Para o nerd, Festa Junina é pretexto para fazer cosplay de Chico Bento.

JULHO
Férias

✔ Chegaram as férias, tempo de sair de casa, correr, brincar, comer cogumelos, enfrentar deuses do Olimpo, sair em missões secretas, rodar o mundo em turnê como astro de rock com sua guitarrinha de plástico e, quem sabe, até ganhar uma Copa do Mundo. Quem disse que férias de nerd são chatas?

AGOSTO
Dia dos Pais

✔ Ele se opôs ao império construído a duras penas pelo pai. Recusou a oferta de trabalharem juntos. Desafiou sua autoridade e, com seus amigos, promoveu algazarra e destruiu a casa do pai... duas vezes! No Dia dos Pais, não seja um filho rebelde como Luke Skywalker.

SETEMBRO
7 – Independência

✔ Como um nerd aproveita o feriado do Dia da Independência? Estudando vetores linearmente independentes.

OUTUBRO
12 – Dia das Crianças

✔ Crianças na visão de um nerd: Aqueles seres anões e chatos que disputam nosso tempo no videogame e, se bobear, tiram os toys colecionáveis do plástico!

31 – Dia das Bruxas

✔ Por que os programadores ingleses confundem o Natal com o Dia das Bruxas?
Porque 31 oct = 25 dec.

NOVEMBRO
15 – Proclamação da República

✔ Dia de proclamar mais uma reunião com o pessoal da república para discutir o problema da louça suja!

DEZEMBRO
25 – Natal

✔ Nos dias de hoje, um nerd adolescente vê Papai Noel e acha que é Dumbledore. Já o nerd adulto acha que é Gandalf.

✔ Caro Papai Noel, este ano quero meu Natal cheio de luz – sabres de luz, motocicletas de luz e TV de LED Ambilight.

31 – Ano Novo

✔ No dia 31, lembre-se: uma boa resolução de Ano Novo tem que ter pelo menos 300 dpi (para causar boa impressão).

2. MATEMÁTICA

Introdução

Marcos Castro

Matemática. Considerada por muitos a mãe de todas as ciências. E, como toda mãe, muitas vezes é necessário – mas não suficiente – ser chata. Muitos dizem que matemática na escola não serve para nada. Besteira. Outro dia mesmo precisei resolver uma equação de segundo grau no supermercado para otimizar o volume utilizado no carrinho de compras.

A verdade é que as pessoas detestam matemática. No jogo de tênis, por exemplo: quem o criou não sabia fazer contas. "Quero fazer um jogo diferente. Em todos os jogos a pontuação vale 1, 2... No meu não, vai valer 15. Vamos lá. O primeiro ponto vale 15. Ganhou mais um, deixa eu ver, 30. Ganhou outro ponto, mais 15, hmmm.... não sei, desisto. Bota 40 e depois termina o jogo."

As pessoas adoram colocar matemática onde não tem. Uma vez, em uma entrevista, uma judoca falou: "O judô é um esporte complexo, de técnica. Tem muita matemática". Muita matemática? "Diga aí: 7 × 5. 30? Errou, *ippon*."

Eu me formei em matemática, e por conta disso já fui tachado de maluco n vezes, sendo n um natural suficientemente grande para acabar com a minha paciência. Não é justo ser chamado de maluco. Muitas coisas normais aconteciam na minha faculdade. Uma vez eu contei uma piada e um colega falou:

– Sete e meio.

O cara deu nota para a minha piada. Eu falei:

– Cara, não sei se você sabe, mas você pode ter uma reação diferente, tipo rir.

E ele:

– Não; rir só acima de oito.

Além da graduação, fiz mestrado em matemática. Só não fiz doutorado porque acho o título de mestre muito mais legal que o de doutor. O mestre tem súditos, já o doutor tem pacientes: um catarrento, outro leproso...

Prova de que mestre é mais legal é que as grandes figuras são mestres. O Yoda é mestre Yoda, não doutor Yoda. Mestre Splinter, Mestre dos Magos, tudo mestre. Quem é doutor? Doutor Hollywood. Pfff. Doutor Dolittle. Não sei vocês, mas eu acho muito melhor ter poderes Jedi do que falar com uma arara.

O título de mestre tinha que vir depois do de doutor. Ou então vem primeiro mestre e depois algo mais foda, sei lá, Senhor Imperador do Universo Triunfal Pirocudo, ou algo mais foda ainda: Brad Pitt. Brad Pitt é foda. Eu queria ter o título de Brad Pitt.

– Oi, você faz o quê?

– Sou Brad Pitt em economia.

– Hmmm... deixa eu ver esse superávit aí.

Bom, chega de enrolação. Paciência tem limite, tanto pela esquerda quanto pela direita. É hora de você conhecer as piadas mais engraçadas sobre a tão querida matemática. Se não gostar, tudo bem, nada que uma mudança de coordenadas não resolva. Depois que ler, mostre para a família, irmãos, primos... Tá, não vou fazer piada nem trocadilho com "primos", até porque é também desse tipo de piadas que este capítulo é "composto". Boa leitura!

Marcos Castro é comediante e matemático. É mestre em matemática pela Universidade Federal do Rio de Janeiro e possui artigos publicados na área de análise numérica. Integra o grupo Comédia Carioca e já levou seu stand-up para mais de dez estados do Brasil. Na televisão, já participou do Domingão do Faustão, Programa do

Jô, A praça é nossa, Tudo é possível e no canal People+Arts. Quando tem graça, é o lado comediante. Caso contrário, é o matemático.

Piadas de matemática

● Qual é o animal que tem 3,14 olhos?
O piolho.
E como fica quem o pega?
Cosseno.

● O que é um menino complexo?
É um que tem a mãe real e o pai imaginário.

● Qual a função do goleiro?
Parábola.

● Existem no mundo 10 tipos de pessoas. As que entendem binário e as que não entendem.

● Por que a função h(x) não tem segunda derivada?
Porque h' tem bico.

● Como um matemático cumprimenta um índio?
"8π!"
E o que ele diz quando o índio não responde?
"18π!"

● Por que a galinha atravessou a faixa de Möbius?
Para chegar ao mesmo lado.

● O que o MMC estava fazendo no pé da escada?
Esperando o MDC.

● O que é um urso polar?
É um urso retangular, depois de uma troca de coordenadas.

- Por que não se discute com um número complexo?
  Porque ele sempre tem argumento.

- Por que não se discute com uma PA nem com uma PG?
  Porque elas sempre têm razão.

- Na Festa das Funções, o e^x estava isolado num canto, cabisbaixo.
  O sen(x), vendo aquela cena desoladora, resolve chamá-lo:
  – Ei, e^x, venha se integrar!
  – Pra quê? Dá na mesma.

- O que uma grávida matemática responde quando perguntam se é menino ou menina?
  "Sim."

- Como o matemático cerca todas as ovelhas do mundo?
  Faz um cercado em volta de si mesmo e se define estando do lado de fora.

- Todo matemático teve um amigo de infância que era a raiz quadrada de -1.

- Que estado vai dos números irracionais aos complexos?
  Piauí.

- Um grupo infinito de matemáticos entra num bar. O primeiro chega ao balcão e pede uma dose. O segundo, apenas ½ dose. O terceiro, ¼ de dose. O barman, entendendo tudo, serve duas doses de uma vez.

- Matematicamente falando, o que é uma lombada?
  Um buraco elevado a -1.

- O que o 2 disse para o 10?
  "Você é grande mas não é 2!"
  E o que o 10 respondeu?
  "Vá estudar binário!"

- Como ficar rico a partir de um queijo?
  Ache a integral dupla e vire criador de gado.

- O que o seno respondeu quando o cosseno bateu na porta do banheiro?
  "Tangente!"

- Por que o 3 não pode se casar com o 7?
  Porque eles são primos. É uma pena, formariam um casal 10...

- O que o i falou para o π?
  "Seja racional!"
  E o que o π respondeu?
  "Cai na real!"

- O que o cachorro π faz?
  Pilates.

- Num avião estavam quatro romanos e um inglês. Qual o nome da aeromoça?
  Ivone.

- Qual é a cor do plano cartesiano?
  Coordenada.

- Resolver equações na Roma Antiga era bem mais fácil. Afinal, o valor de X era sempre 10.

- Ah, professora! Para que escalonar? Deixe que o Sylvester Escalone.

- Minha opinião sobre primos: não dividem com ninguém!

- Onde o π acaba?
  No Paraná.
  Por quê?
  Paranapiacaba.

- Por que o estudante de cálculo numérico não afunda?
  Porque ele usa ponto flutuante.

- Na Festa do Triângulo estavam o seno, o cosseno, o ângulo reto e a hipotenusa. O que o cateto adjacente disse para o cateto oposto?
  "Nossa, cotangente!"

- O que fazer para resolver o problema da dor de cabeça constante?
  Tire a derivada.

- Como o capitão Nascimento resolve problemas de matemática?
  Ele enfia o livro no saco e o obriga a entregar as respostas.

- Por que a imagem dos gráficos do capitão Nascimento pertence aos reais negativos?
  Porque com ele "não vai subir ninguém!".

- Capitão Nascimento fazendo o dever de matemática: "É, parceiro, o sistema é foda! Mas lição dada é lição cumprida".

- Qual o volume de um tigre morto?
  $4\pi R^3/3$, porque é uma ex-fera.

- O que é pior do que um raio cair na sua cabeça?
  Cair um diâmetro.

- O que uma reta reversa disse para a outra?
  "Você não está nos meus planos."

- Qual era o cavaleiro mais redondo entre os Cavaleiros da Távola Redonda?
  Sir Cunferência.

- "É proibido fumar nesta área." Já repararam que, tecnicamente, deveria ser "É proibido fumar neste volume"?

- Seja "a" a altura e "z" o raio, qual o volume da pizza?
  Pi.z.z.a.

- Como se chama o triângulo com cavalos por todos os lados?
  Triângulo equilátero.

- Três pontinhos não colineares estavam conspirando: "Acho que temos um plano".

- Estatística é a arte de torturar os números até que eles confessem.

- Comprovado: pesquisas são a maior causa de câncer em ratos.

- Comprovado: o cigarro é a maior causa de estatísticas.

- Por que o tarado virou estatístico?
  Porque adora pornográfico (para ficar olhando as curvas).

- Comprovado: fazer aniversário faz bem à saúde. As estatísticas mostram que pessoas que fazem mais aniversários vivem mais.

- ✖ Comprovado: a taxa de gravidez na adolescência cai significativamente depois dos 25 anos.

- ✖ Comprovado: mendigos têm os menores índices de acidentes domésticos.

- ✖ Comprovado: 5 em cada 4 pessoas têm problemas com frações.

- ✖ "Loteria" é o imposto cobrado de quem não tem conhecimentos em probabilidade.

- ✖ 33% dos acidentes de carro envolvem pessoas embriagadas. Logo, 67% envolvem pessoas sóbrias. Conclusão: perigoso mesmo é dirigir sóbrio!

- ✖ Você teme que alguém leve uma bomba no avião que vai pegar? Então leve a bomba você mesmo! A chance de duas pessoas levarem é MUITO menor.

- ✖ Não acredito em estatísticas. Desde que soube que 3 em cada 5 são falsas, parei de acreditar.

- ✖ Extra: estudos revelam que 3 em cada 4 brasileiros representam 75% da população.

- ✖ Extra: segundo o IBPI (Instituto Brasileiro de Pesquisas Inconclusas), 4 em cada 10 mulheres...

- 🎬 Uma placa de gelo tem 1 cm de largura e 2 cm de comprimento. Qual é o nome do filme?
  A área do gelo 2.

- 🎬 O herói mascarado tem uma terrível equação de segundo grau para resolver. Qual é o nome do filme?
  A Bhaskara do Zorro.

- 🎬 Neo precisa encontrar os autovalores e os autovetores de uma matriz. Qual é o nome do filme?
  Matrix Resolutions.

- "Alfa beta gama delta épsilon zeta eta teta iota capa lambda ni csi ômicron pi rô sigma tau upsilon fi qui psi ômega." Qual é o nome do filme?
Esqueceram de mi.

† Como fazer para piorar?
É só levar o π para a igreja.

† O que faz um estudante religioso de cálculo?
Integra tudo na mão de Deus, pois é dele que tudo deriva e o céu não tem limite.

† E então Jesus diz:
— Irmãos, $x^2 + 3x - 5$.
Mateus, envergonhado, responde:
— Senhor, não entendi...
Pedro explica:
— Mateus, é só mais uma parábola!

† Jesus reprovou em matemática quando apresentaram o seguinte problema: "Você tem 2 pães e 3 peixes. Quantos alimentos tem no total?"

† Ao estudar matemática, Jesus nomeou os apóstolos segundo variáveis: x_1, x_2, x_3, x_4... Judas, naturalmente, foi o x_9.

CHUCK NORRIS NERD FACTS!

★ Chuck Norris faz um triângulo com três ângulos retos no plano.

★ Chuck Norris ganha do espelho no par ou ímpar, escolhendo ímpar.

★ Chuck Norris consegue criar uma PA e uma PG com os números primos usando como razão a geratriz de π.

★ Chuck Norris contou até o infinito duas vezes (a segunda, de trás para frente).

★ Chuck Norris divide por zero e ainda obtém resultado real!

OFENSA NERD!

✎ Sua mãe é tão burra que tira segunda derivada de constante.

✎ Sua mãe é tão gorda que a balança dela é em escala logarítmica.

✎ Sua mãe é mais feia que integral tripla de coordenadas polares.

✎ Sua mãe é tão burra que só sabe duas casas decimais do π.

CANTADA NERD

♥ Rezei $1/3$ para encontrar $1/2$ de te levar para $1/4$ e fazer do seu pai $1/9$. Aceita $1/6$ de flores?

- ♥ Gata, um dia eu serei seu sen^2 e você será minha cos^2, pois juntos seremos 1 só!
- ♥ Quando você tende a mim, a função amor não tem limite!
- ♥ Meu amor por você é exponencial, portanto nada que derive dele será nulo.
- ♥ Você sabe o que é um vértice? Não? Vamos ali no cantinho que eu te mostro.

Lanchonete no País da Matemática

Certa vez, em uma cidade no País da Matemática, um conjunto de dois elementos, sendo eles dois pares ordenados XX e XY, ao qual vamos chamar de "casal", entrou em uma lanchonete.

Para ajudar a entender:

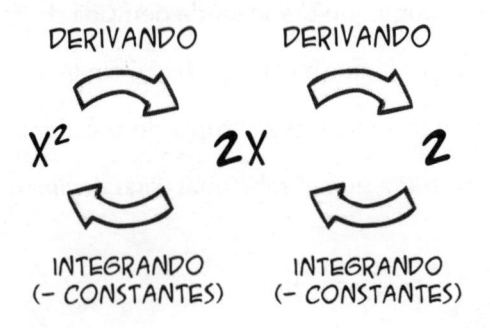

$$X^2 \xrightarrow{DERIVANDO} 2X \xrightarrow{DERIVANDO} 2$$

INTEGRANDO (− CONSTANTES)   INTEGRANDO (− CONSTANTES)

Analogamente:

vaca $\xrightarrow{DERIVANDO}$ leite $\xrightarrow{DERIVANDO}$ queijo

Garçonete: Já resolveram o que vão pedir?

Eulerson: Quais são as opções?

Garçonete: Sim e não.

Eulerson: Muito bem, vou querer um X.burguer, por favor.

Garçonete: Já vai querer com o X isolado?

Eulerson: Assim não tem graça! Não dispenso o prazer de comer primeiro o hambúrguer e o pão só para poder isolar o X.

Garçonete: E a senhora?

Gaussiana: Gostaria de algo mais saudável. O que me recomenda?

Garçonete: Também servimos X.salada.

Gaussiana: Eu esperava algum prato pertencente aos naturais. Como pode um X.salada ser algo saudável?

Garçonete: A senhora pode derivá-lo e ficar só com a salada.

Gaussiana: Na verdade estou de dieta, então talvez derive em relação a Y.

Eulerson: Mas, amor, você vai ficar com fome. Peça pelo menos para integrarem em relação ao pão, daí fica com pão integral.

Gaussiana: Pode ser, gosto de comida integral, porque comer por partes é muito mais saudável.

Eulerson: Garçonete, estou com muita fome! Tem como integrar o X do meu X.burguer para que eu fique com metade do quadrado do queijo?

Garçonete: Não, não, nesse caso o senhor teria hambúrguer com leite.

Eulerson: Tudo bem, eu integro novamente e fico com mais carne ainda!

Garçonete: Poxa, o senhor gosta mesmo de carne malpassada! Pode ser, mas aí fica mais caro, porque serão cobradas as constantes extras.

Gaussiana: Amor, você tá seno muito guloso!

Eulerson: É que meu estômago tá cosseno!

Garçonete: Tangente que come bem mais.

Eulerson: Esse lanche é daqueles que vêm com produtos notáveis de brinde?

Garçonete: Não, aquele é o MMC-Lance Feliz.

Gaussiana: Garçonete, e essa green salad algebrista, como é?

Garçonete: Essa é uma salada que vem com α-ce, $\pi\pi$-no, τ-mate, χ-abo, μ-lho verde, β-raba e ρ-cula.

Gaussiana: Tudo isso?!

Eulerson: Se você não aguentar, a gente divide!

Gaussiana: Afff, amor, seja quociente. Você não pode pedir para ela trazer só uma fração?

Garçonete: Não se preocupe, eu embrulho se der resto. E para beber?

Eulerson: Me vê uma garrafa de Klein bem gelada.

Gaussiana: E para mim um $[\int(cheese)\,dcheese]$.shake.

Algum tempo depois...

Gaussiana: Adorei a comida de vocês. Este estabelecimento certamente faz o diferencial!

Eulerson: Concordo! Escuta, vocês integram em relação ao domicílio?

Garçonete: Claro, é só passar as coordenadas.

Eulerson: Você traz a conta?

Garçonete: Pois não, quer que traga o papel de rascunho também?

Eulerson: Não, não. Pode deixar que eu faço de cabeça.

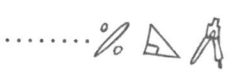

Garçonete: Vai pagar com dinheiro ou cartão?

Eulerson: Sim.

Garçonete: Obrigada e voltem sempre.

3. CIÊNCIAS HUMANAS

Introdução

Carol Zoccoli

O homem busca o conhecimento desde que se conhece como homem e, desde que busca o conhecimento, acaba conhecendo o fato de que não se conhece. Então começa a fazer piadas. Infames ou não, essas piadas requerem conhecimento sobre o conhecimento, para que sejam compreendidas e apreciadas.

Esta parte do livro, então, é dedicada às pessoas que possuem algum conhecimento anterior da matéria em questão, para que deem aquele riso solto e folgado. No entanto, sabemos que as pessoas que se dedicam ao estudo de tais assuntos – neste caso, as ciências humanas – não são muito propensas ao riso, pois estudam coisas muito sérias e relevantes, que não deixam tempo para que essas ativas cabeças se ocupem com pilhérias ou qualquer outro tipo de distração. Aliás, cremos que essas pessoas jamais comprariam um livro com a palavra *piadas* no título. Fica claro, pois, que esta seção terá como leitor o cidadão comum, com um nível de cultura mediano, que gosta de se divertir nas folgas do trabalho – o cidadão que ri.

Pressupõe-se, no entanto, que esse risonho cidadão não esteja a par de todas as informações necessárias para compreender todas as piadas deste capítulo, e nesse momento eu aconselho ao prezado leitor: ria. O não sorrir indicaria falta de conhecimento e, por consequência, falta de cultura, e sabemos que no Brasil a falta de cultura está intimamente ligada à falta de recursos financeiros, e sabemos também que ser pobre é o maior pecado que um brasileiro pode cometer e a única coisa que causa repugnância nos outros brasileiros.

Portanto, comece a treinar agora: primeiro um sorriso de canto de boca. Isso! Agora um riso largo, mas sem barulho. Passemos agora ao esticar da boca com um som único (algo como "rã"), e depois podemos finalmente abrir a boca e soltar um bom "rá rá rá".

Não gargalhe. Estas piadas não são para tanto. Além do mais, o riso excessivo pode levar você ao manicômio.

Divirta-se agora com as piadas nerds sobre ciências humanas! E lembre-se: se não se divertir, pelo menos finja. O importante é saber que o dinheiro gasto com este livro nunca será um desperdício: se você não rir de nenhuma piada, ao menos seus amigos te respeitarão por ter comprado um livro de piadas "inteligentes".

Carol Zoccoli é mestre em filosofia pela Universidade de São Paulo. Escreve e apresenta seus textos de comédia stand-up há três anos por todo o Brasil, além de já ter se apresentado no Canadá, na Inglaterra e em Portugal. Em novembro de 2009, estreou a primeira peça de sua autoria, a comédia 50 minutos, em que também atuou. Foi finalista, em 2009, do concurso Oitavo Integrante do programa CQC, veiculado pela Band. Apresentou o programa Transalouca 4.0, *na rádio Transamérica, em 2010, e é roteirista do programa* É tudo improviso, *da Band. Atualmente vive entre o Canadá e o Brasil, apresentando seu número de stand-up tanto em português como em inglês e francês.*

Piadas de humanas

❦ Por que Stálin não atende o telefone?
Porque ele tem medo de que seja Trótski.

🌍 ⛰ 🎵

- Qual era o perfume mais detestado por Carlota Joaquina?
  Brasil Colônia.

- Professora de história:
  – O que mais despontava na época do Renascimento?
  Joãozinho:
  – Zumbis?

- Por que Hitler se suicidou?
  Porque recebeu a conta do gás.

- Quantos marxistas são necessários para trocar uma lâmpada?
  Nenhum. A lâmpada contém as sementes de sua própria revolução.

- Por que Perón não teve filhos?
  Porque sua mulher Evita?
  Não, porque ele operón!

- Como os comunistas se despedem?
  "Até Marx!"
  E como os petistas se cumprimentam?
  "Bom Dilma!"

- Como os gregos se alimentavam na Antiguidade?
  Num Platão.
  E os babilônios?
  Em piqueniques nos jardins.
  E os egípcios?
  Seguindo a pirâmide alimentar (Cleópatra adorava Caesar salad).

- Na Roma Antiga, era comum ter festas com prostitutas no fim do mês, geralmente no dia 30. Daí o termo XXX.

- Qual era a banda favorita dos operários durante a Revolução Industrial?
  Rage Against the Machine.

- Nas noites de sexta, o professor de história dá o ar da Grécia e vai curtir o Egito da madrugada ao som de Lady Gália: "Roma-o-ma-ma..."

- Que atleta esteve mais vezes nos pódios das Olimpíadas?
  Ramos de Oliveira.

- O que o professor de história antiga vestia?
  Camisa Apolo, que Hera moda e dava Ares clássicos.

- O problema da mitologia grega é que você pode dormir com uma deusa e acordar com uma cabeça de touro. Literalmente!

- Conjunto de cem bovinos: centauro. Deusa de descendência africana que vive ditando ordens: Afrodite.

- O que é um pontinho marrom no Brasil em 1500?
  Pedro Álvares Cabrown.

- Quando os brasileiros comeram carne pela primeira vez?
  Quando chegou Cristóvão Colombo.

- Qual o time favorito de Cristóvão Colombo?
  Náutico.
  E de dom Pedro I?
  Benfica.
  E de Nero?
  Botafogo.

- Prova final de ciência política: "Há um telefone vermelho em cima da carteira. Comece a Terceira Guerra Mundial".

- Qual é o rio mais azedo do mundo?
  Rio Solimões.

- Qual é o rio mais boêmio que existe?
  Rio Amazonas.

- Qual é o rio mais rápido do mundo?
  Rio Sena.

- O que é xiita?
  É a maacaca do Taarzan.

- Por que na Argentina as vacas vivem olhando para o céu?
  Porque tem boi nos ares.

- Ao vestir uma camisa, o marido da geógrafa pergunta:
  – Amor, onde está o botão?
  – Na Ásia!

- Por que os EUA têm poucas chances de ganhar no xadrez?
  Porque perderam as duas torres.

- Professor de geografia no restaurante:
  – Uma salada tropical bem temperada, uma cerveja Polar e um bife continental, que meu estômago está semiárido.

- Quais são as três capitais brasileiras mais lembradas no fim do ano?
  Natal, Salvador e Belém.

- O que está escrito na porta do Pavlov?
  "A menos que seja o entregador de ração, não toque a campainha!"

- Quantos psicólogos são necessários para trocar uma lâmpada?
  Só um, mas a lâmpada precisa querer ser trocada.

- Qual a banda de rock que mexe com a psique das pessoas?
  Pink Freud.

- O que o ego faz quando não consegue vencer os impulsos do id?
  Pede socorro ao superego.

- Qual foi a reação do economista quando sua mulher grávida disse que a bolsa estourou?
  "Vende! Vende! Vende!"

- Uma suruba. O cientista político chama a polícia, o sociólogo observa e o antropólogo participa.

> QUERIDO, A BOLSA ESTOUROU.

> VENDE TUDO! VENDE TUDO!

🎬 Três moças lutam contra ricos e opressores em Manchester no século XIX. Qual é o nome do filme?
Karlie's Engels.

❓ Primeira lei da filosofia: Para cada filósofo, existe outro equivalente e oposto.
Segunda lei da filosofia: Ambos estão errados.

❓ O que o filósofo pede quando vai ao bar?
Um Schop e um cachorro Kant.

❓ Qual é o jogo favorito do filósofo?
Nietzsche for Speed.

❓ Aprendi no *Chaves* que Sócrates foi um idiota. Pois "só os idiotas respondem uma pergunta com outra pergunta".

❓ Como um filósofo chama o outro para briga?
"Vamos para o estado de natureza segundo Hobbes?!"

❓ Quantos disputam o campeonato de natação filosofal?
Só sei que nadam seis.

❓ "Você quis dizer direito?" Seu pai bancando o Google após ouvir você dizer que vai prestar filosofia.

✏️ Qual é a lei dos escultores?
Aleijadinho.

- Qual é o barulho que a tinta faz quando cai numa tela no chão?
  Pollock!

- Quem foi o maior mestre renascentista?
  Mestre Splinter. Afinal, foi ele quem treinou Leonardo, Rafael, Michelangelo e Donatello.

- – Menina! Você deu uma emagrecida surreal!
  – Obrigada, tomei Magritte.

- Professora de arte:
  – Vou dar quinze segundos para responderem quem pintou a *Mona Lisa*.
  Joãozinho:
  – Só quinze? Dá vinte!

- – E aí, cara, como é que foi com a Vênus de Milo?
  – Ela é muito estrelinha, não me deu nem um tchauzinho.

- – Para mim, Monet é arte em baixa definição.
  – Vai ver é porque ele salvou em JPG.

- Botero, material de pintura:
  - ✔ tela
  - ✔ tinta acrílica
  - ✔ 15 cheeseburgers
  - ✔ 1 pote de Nutella

AH, VAN GOGH! NÃO DÊ OUVIDOS A ELES!

✎ É verdade que os críticos diziam que Van Gogh era péssimo pintor. Mas ele não precisava dar ouvidos.

✎ O ladrão roubou um quadro num museu holandês e ficou com dor de barriga. O que aconteceu?
Ele pegou um Vermeer.

♪ Ontem encontrei Vivaldi e Beethoven tomando um Chopin e me juntei a eles para Dvorák uma porção de torresmo. Händel boas risadas.

♪ O que é uma música mimosa?
É uma música famosa, meio tom abaixo.

♪ O que o maestro pediu quando foi à farmácia?
Um ré médio.

♪ Do que o maestro precisa quando está com soluço?
De um sustenido.

♪ O que o porquinho assustado disse aos outros porquinhos quando voltou do concerto?
"Vi lá lobos!"

♪ – Você tá Mozart?
 – Não, tô Vivaldi!
 – Então vamos ao Bach tomar uma Brahms.
 – Você Paganini?
 – Eu não.
 – Então Tchaukovsky!

♪ Tenho muita pena do ré dobrado bemol. Ele é tão para baixo que dá dó.

✎ Qual é o sujeito da frase "Proibido estacionar"?
Sujeito a guincho.

✎ Não se engane: na oração "O culto foi bom", o sujeito não é oculto, é "o culto".

🖋 O que todos nós viramos com a nova ortografia?
Ex-tremistas.

🖋 A professora de português pergunta:
— Joãozinho, poderia me dizer dois pronomes?
— Quem? Eu?
— Parabéns, nota 10!

🖋 O que não possui gosto na língua portuguesa?
Oração sabordinada.

🖋 "Pobre menina, o pai de Ana morreu." Qual a figura de linguagem?
Anacoluto.

🖋 Ana não atende a campainha. Ana não atende o celular. Ana não responde emails. Qual a figura de linguagem?
Anáfora.

🖋 — Mãe, vou sair!
— Aonde você vai?
— Mãe, "sair" é verbo intransitivo, então não precisa de complemento. Beijos!

📖 Quem Castro Alves? Machado de Assis. Com o quê? Camões. Onde? Castelo Branco...
Mas essa piada não é minha, Eça de Queiroz.

📖 Que autor o Harry Potter lê quando está doente?
Saramago.

📖 A Academia Brasileira de Letras é como um grupo de RPG. Tem alguns bardos, um mago e até um ladrão.

📖 Hamlet viu dois pontinhos voando. Um deles era uma abelha; o outro, ele não tinha certeza. O que ele indagou?
"Two bee or not two bee?"

> MAS QUEM CASTROU VOCÊ, ALVES?
>
> FOI O MACHADO DE ASSIS!

- Bertram bebia vinhos. Brás Cubas.
  Eu gosto de praias. Álvaro de Campos.
  Graciliano Ramos vivia dos livros. José Lins do Rego.

- Qual o time favorito do José de Alencar?
  O Guarani.
  E do Gonçalves Dias?
  Palmeiras.

- "Mais vale um discado que me carregue do que um 3G que me derrube" – O site de Inês Pereira.

- "Marcela amou-me durante quinze meses e quatro gigas de RAM" – Memórias RAMs de Brás Cubas.

- "Ai, que preguiça de organizar meu Gmail!" – E-mailcunaíma.

CHUCK NORRIS NERD FACTS!

★ Nietzsche disse: "Deus está morto". Chuck Norris matou Nietzsche por causa da ofensa pessoal.

OFENSA NERD!

✎ Sua mãe é tão gorda que usa um relógio em cada braço, porque ocupa dois fusos horários!

✎ Sua mãe é tão gorda que, se fosse uma rainha egípcia, as pirâmides teriam de ser cones!

CANTADA NERD

♥ Onde está o sujeito da frase "Eu te amo"? Estou bem aqui, coração!

♥ Sem você me sinto como Napoleão ao invadir a Rússia. Mas com você eu sou Luís XIV, sou o sol!

E se existisse Twitter na época do descobrimento?

A era da informação é realmente muito curiosa. Quem imaginaria, há algumas décadas, que hoje pessoas compartilhariam seu cotidiano em curtas mensagens que o mundo inteiro pode ver? Por mais sem sentido que isso pareça, pense nas vantagens históricas que registros desse tipo trariam. Hoje a história é tuitada tanto pelos vencedores como pelos perdedores. E se fosse assim também na época do descobrimento do Brasil?

PedroACabral Finalmente saindo de Lisboa. Vou pra onde meu amigo @CColombo descobriu novas terras e depois sigo pra Índia. Let's go NAUS! :P #TrocadilhoInfame
9 de março de 1500 from Lisboa via PortugaTweet

PedroACabral Velho do Restelo trollando nossa viagem. Mandei-o conversar com a minha mão. O importante é que com minhas 13 naus, ganhei 1500 followers em um só dia! XD. Novas terras FTW!
9 de março de 1500 from Mar Salgado via PortugaTweet

Marinheiro TERRA À VISTA!!! #FUCKYEAH
22 de abril de 1500 from Caravela via TwitNaus
Retweeted by AfonsoLopes and 100+ others

59

PedroACabral Afff, detesto quem escreve com CAPS LOCK. Tentei tuitar durante a viagem no oceano, mas estava baleiando muito. =/ #Fail
22 de abril de 1500 from Caravela via TwitNaus

PedroACabral Hoje é #Pascoa, preciso de um chocolate! Será que tem cacau naquele morro? Vou chamá-lo de #MontePascoal na esperança... *-*
22 de abril de 1500 from Caravela via TwitNaus

CapitaoNicolauCoelho Chefe @PedroACabral me mandou desembarcar. Acabo de me tornar o primeiro homem a pisar nessas novas terras. Um pequeno passo para o homem, mas um grande passo pra coroa portuguesa!
23 de abril de 1500 from Bahia de Todos os Santos via Web

PedroACabral Resolvi batizar essas terras de Ilha de Vera Cruz. #ProntoFundei
23 de abril de 1500 from Ilha de Vera Cruz

PinzonFaClubeOficial Na verdade, foi nosso queridíssimo Vicente que Pinzón nessas terras primeiro, vocês são um bando de invejosos e mimimi mimimi... #FamiliaPinzon
23 de abril de 1500 via Web in reply to CapitaoNicolauCoelho

TupiNiquim Moema! Butantã jabaquara pirituba tucuruvi tatuapé? >=/
24 de abril de 1500 from Ilha de Vera Cruz via TupiTwit
(Tradução: Mentira! Estes caras-pálidas estão mesmo achando que estas terras são deles? >=/)

TupiCacique Itaquaquecetuba, mogi guaçu mogi mirim piracicaba! #JucaCari
24 de abril de 1500 from Ilha de Vera Cruz via TupiTwit
(Tradução: Homens brancos são maus, esta terra é nossa! #MorraHomemBranco)

TupiPaje Araucária piaçava jacarandá. Ahan, Iracema, jatobá #JucaCari
24 de abril de 1500 from Ilha de Vera Cruz via TupiTwit
(Tradução: Nos ofereceram espelhos pra trabalharmos pra eles! Ahan, Cláudia, senta lá. #MorraHomemBranco)

TupiCurumim Tietê tapajós jaguari iguaçu ipanema ipiranga!! #JucaCari
24 de abril de 1500 from Ilha de Vera Cruz via TupiTwit
(Tradução: Sacanagem!! #MorraHomemBranco)

CapitaoNicolauCoelho 90% do twitter está tuitando #JucaCari. Se você faz parte dos 10% que não sabem o que significa, dê RT.
24 de abril de 1500 from Ilha de Vera Cruz via Web
Retweeted by PedroACabral and 100+ others

PedroACabral WTF?! O que é esse tal de #JucaCari nos Trending Trópicos? Esses índios estão só bagunçando TT's-MontePascoal.
24 de abril de 1500 from Ilha de Vera Cruz via Web

TupiAdista #JucaCari significa "Salvem as aves caris". A ave cari está em extinção devido ao uso indiscriminado de suas penas em rituais indígenas. Ajudem a divulgar esse movimento retuitando essa mensagem.
24 de abril de 1500 from Ilha de Vera Cruz via TupiPhone

PedroACabral Sério?! Que legal! Vamos lá, pessoal, todos tuitando #JucaCari.
24 de abril de 1500 from Ilha de Vera Cruz via Web
Retweeted by PedroACabral and 100+ others

TupiNiquim Açaí Tapioca! haeuhaeuau
24 de abril de 1500 from Ilha de Vera Cruz via Web
(Tradução: Que otários! huahuahua!)

Frei_HenriqueCoimbra Irmãos, iniciaremos agora a primeira missa nessas novas terras. Vamos ao Evangelho do dia. #Oremos
26 de abril de 1500 from Ilha de Vera Cruz via iGreja

Frei_HenriqueCoimbra E vocês, índios infiéis, #FollowFriday @JesusCristo e retuítem a Sua palavra. #Oremos
27 de abril de 1500 from Ilha de Vera Cruz via iGreja

PedroACabral Ops, parece que aqui é um pouquinho maior do que pensei, vou mudar pra Terra de Santa Cruz e erguer aqui um padrão pra marcar a posse da Coroa Portuguesa. #ProntoFundeiDeNovo
1 de maio de 1500 from Terra de Santa Cruz via Web

PedroACabral Por favor, @PedroVaz encaminha o e-mail sobre a descoberta das novas terras pro @D_Manuel_I.
1 de maio de 1500 from Terra de Santa Cruz via Web

D_Manuel_I Seguinte, galera, de agora em diante essas terras são MINHAS! E só vai entrar quem tiver pulseirinha.
1 de maio de 1500 from Lisboa via RoyalSuite

TupiCurumim Que puta falta de sacanagem! Vou xingar muito no twitter! #ForaPortugas
1 de maio de 1500 from Terra de Santa Cruz via Web

TupiCacique FFFFUUUUUUUUUUU.....
#ForaPortugas
1 de maio de 1500 from Terra de Santa Cruz via Web
Retweeted by TupiCurumim and 100+ others

4. QUÍMICA

PRÓTON!

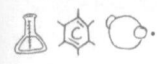

Introdução

Fernanda Poletto

> *Estude com afinco o que mais interessa a você, da forma mais indisciplinada, irreverente e original possível.*
>
> Richard P. Feynman

Embora pareça algo misterioso, impalpável e surreal, a química é capaz de gerar reações concretas e explosivas em personalidades mais sensíveis (quem nunca afirmou com veemência ao menos uma vez: "Eu odeio química!" ou "O que é essa droga de mol, afinal?"). A conexão indissociável entre nós e esse fascinante ramo do conhecimento fica evidente quando tentamos imaginar um mundo sem química. Impossível. Há mais átomos em seu corpo do que grãos de areia na superfície da Terra. Está se sentindo grandão agora, hein?

Você pode perguntar como eu sei disso. Alguém me contou. E esse alguém ouviu de alguém que ouviu... bem, você entendeu. Desde o início da humanidade, sempre existiu um grupo de curiosos querendo saber do que as coisas são compostas. Na Idade Média, não bastava mais entender apenas isso, era preciso saber também como transformá-las. Tudo bem que obter ouro a partir de chumbo é um pouco demais, mas desde então muitas substâncias interessantes passaram a ser conhecidas por causa da curiosidade e do afinco dessas pessoas. Modernamente, esses seres são conhecidos como químicos.

Alguns dizem que, para identificar um químico, é só reparar no indefectível jaleco sujo, manchado e furado. Outros afirmam que basta você observar se ele lava as mãos ANTES de ir ao banheiro. Uma coisa é certa: o químico sempre tem programa para a sexta à noite – terminar aquele experimento importantíssimo no laboratório. No fundo, o químico é um ser incompreendido pela sociedade. Se, para o resto do mundo, o que está naquela folha que o químico chacoalha por aí, cheio de orgulho, são só algumas linhas completamente sem sentido, para ele é o resultado da análise daquele experimento importantíssimo, que gerou sinais capazes de desnudar aos poucos a estrutura de qualquer molécula mais tímida, despi-la completamente e... conduzir ao êxtase! É, talvez seja mesmo muito tempo no laboratório...

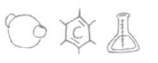

E como sobreviver a tanto tempo no laboratório sem perder a sanidade? Ora, apelando para muito bom humor. O humor químico é assim: vê trocadilhos em tudo. Às vezes, nem precisa do trocadilho. Convenhamos que, quando você descobre que pode chamar o 4-(prop-1-en-1-il)fenol simplesmente de anol, a piadinha infame torna-se inevitável.

É nesse espírito e para nosso deleite que a turma do @PiadasNerds reuniu neste capítulo o melhor do humor químico expresso em 140 caracteres – e é com muito orgulho que o apresento ao caro leitor (é nox, mano!). Piadas rápidas e inteligentes, que vão fazê-lo lembrar das saudosas aulas de química. Calma, calma! Efeito serotoninérgico garantido, palavra de farmacêutica (arrá! achou que eu fosse química, né?). E, como um bônus de lambuja para você, pessoa que não resiste a uma novela, mas não tem tempo a perder, a melhor tweetnovela em um mol inteiro de caracteres – com um final surpreendente!

Bem, pule logo esta introdução chata e vá ao que interessa. E lembre-se sempre de um dos mais fundamentais ensinamentos da química, jovem Padawan: nunca lamba a colher.

Fernanda Poletto é doutoranda em química pela Universidade Federal do Rio Grande do Sul, farmacêutica e fascinada pelo nanobiomundo. Autora do blog Bala Mágica (scienceblogs.com.br/bala_magica), hospedado no condomínio de blogs ScienceBlogs Brasil, no qual discute tudo o que permeia a nanobiotecnologia (nanotecnologia aplicada às ciências da vida), desde novas descobertas que aparecem nas revistas científicas até as últimas notícias sobre seus aspectos ambientais, toxicológicos, sociais e regulatórios, no Brasil e no mundo. Também adora um papo no Twitter (@balamagica) e acha que sem bom humor não é possível manter a sanidade mental. Afinal, a vida é curta, né, companheiro?

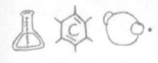

Piadas de química

- O que estão fazendo seis carbonos de mãos dadas com seis hidrogênios numa igreja?
  Benzeno.

- O que é uma molécula?
  É uma menínula muito sapécula.

- O que o elétron fala quando atende o telefone?
  "Próton."

- O que um álcool falou para o outro?
  "Eta nóis."

- Você acha um elétron e o leva para casa. Qual o nome dele?
  Elétrondoméstico.

- O que o professor de química disse quando o aluno reclamou de dor de cabeça?
  "Para, cê tá mal?"

- Qual é o barulho que o elétron faz quando arrota?
  Booooohr.

- Por que o átomo comprou uma câmera digital?
  Para tirar fóton.

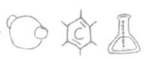

- Por que o sal leva sempre uma garrafinha d'água no carro?
  Porque ele não conduz bem sem água.

- Professora:
  – Quem sabe o que é H_2SO_4?
  Mariazinha:
  – Ai, calma, tá na ponta da língua...
  Joãozinho:
  – Então cospe que é ácido sulfúrico!

- Como um elétron se suicida?
  Pulando da ponte de hidrogênio.

- O que o químico preguiçoso faz no laboratório?
  Embromação.

- Por que o martelo e a tesoura são hidrocarbonetos?
  Porque o martelo é propino, e a tesoura é propano.

- Sua cesta básica não tem sal nem água? Simples, é só jogar ácido.

- O que é Cl Cl Cl Cl Cl Cl?
  Clorofila.

- Que arma pode ser feita com potássio, níquel e ferro?
  KNiFe.

- Por que o hélio foi assaltado?
  Porque ele é nobre.
  E como ele sobreviveu ao assalto?
  Ele não reagiu.

- Qual é o nome do hidrocarboneto mais desconhecido?
  Ciclano.

- Que fórmulas são estas: a) H_2Oly; b) H_2O51; c) H_2O24?
  a) Água benta; b) Aguardente; c) Água fresca.

- Por que o urso branco se dissolveu quando caiu na água?
  Porque era polar.

- Qual é a música-tema da nitroglicerina?
  "Balançou, balançou, balançou; balançou e a galera explodiu..."

- Cebolinha cai num buraco e encontra um carbono e três hidrogênios. O que ele grita?
  "Metila daqui!"

- Um químico resolve pintar usando um nitrogênio e três hidrogênios. Qual é o nome do quadro?
  Amônia Lisa.

- Qual é o elemento mais bem informado da tabela periódica?
  O frâncio, porque fica do lado do rádio.

- Qual é o elemento que vive na sombra?
  O índio, porque fica embaixo do gálio.
  E por que ele não conversa com o vizinho?
  Porque sua mãe o ensinou a nunca falar com estanhos.

- Por que o hidrogênio foi ao show do Restart?
  Porque ele estava em busca de uma família.

ME CHAMA DE HIDROGÊNIO E VEM ME DAR UMA FAMÍLIA!

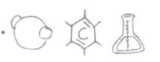

- O que o carbono disse quando foi preso?
  "Eu tenho direito a quatro ligações, senão eu quebro esta cadeia!"

- O carbono é um tremendo mau-caráter. Tá na cadeia, onde ele é primário, com uma amina e um bando de radicais ligados a ele.

- O que acontece quando se esfrega uma lâmpada debaixo d'água?
  Surge um hidrogênio.

- Dois hidrogênios que não se viam há muito tempo se encontram e se abraçam. Um oxigênio vê a cena de longe e pergunta: "Hélio?"

- O que é halogênio?
  Um cumprimento a alguém muito inteligente.

- A internet era para ser algo cultural, mas, quando se procura a sigla do cobre no Google, nada referente a ele aparece...

- Como os EUA fazem para neutralizar uma base afegã?
  Jogam ácido afegão.

- Se você não faz parte da solução, então deve fazer parte do precipitado.

- Por que tomar água no meio da aula prejudica o aprendizado?
  Porque diminui a concentração.

- O que uma molécula disse para a outra ao se chocarem?
  "Foi mol!"

- O que a molécula apaixonada cantou para a outra no telefone?
  "And after all, you're my Vanderwaal."
  E por que não funcionou?
  Porque a ligação estava fraca.

- Como saber quando um químico morreu?
  Quando ele parar de reagir.

> FILHO, VOCÊ PASSOU O DIA SEM BEBER ÁGUA.
>
> NÃO QUERO DIMINUIR MINHA CONCENTRAÇÃO.

- Dois antiácidos atravessando a rua:
  – Cuidado com a poçççççç...
  – Nosssssssssss...

- O que a bolacha de água e sal era antes?
  Bolacha de ácido e base.

- Por que não se pode comer um elétron?
  Porque tem spin.

- Qual o doce favorito do átomo?
  Pé de molécula.

- Qual a comida mais calórica que existe?
  O chocolate, pois tem muito kcal.

- Por que a conta de telefone do hidrogênio é barata?
  Porque ele só faz uma ligação. Não é para menos, ele não tem família...

- O que o hidróxido de sódio foi fazer na Fashion Week?
  Mostrar seu pH básico.

- Qual o método contraceptivo preferido dos químicos?
  A tabelinha periódica.

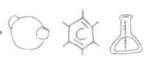

- Que nomes o professor de química escolheu para seus filhos?
  Éster e Hélio.

- Por que não se deve falar alto no laboratório?
  Para não desconcentrar os reagentes.

- Provérbio químico: "A palavra vale Ag, mas o silêncio vale Au".

- Como Jesus Cristo conseguiu andar sobre as águas?
  Pisando nas pontes de hidrogênio.

- Um dirigível começa a vazar sem parar depois de sofrer um rasgo. Qual é o nome do filme?
  Hidrogênio indomável.

- Os pais de um garotinho viajam para Chernobyl e nunca mais voltam. Qual é o nome do filme?
  Urânio em que meus pais saíram de férias.

- Um pesquisador quer estudar o centro de um radical livre. Qual é o nome do filme?
  Central do benzil.

- Um grupo de formigas decide que vai viver apenas de pasta de dente. Qual é o nome do filme?
  Fluormiguinhaz.

- Chicó e João Grilo vão trabalhar numa metalúrgica. Qual é o nome do filme?
  Cobalto da Compadecida.

- Passarinhos precisam construir um ninho metálico. Qual é o nome do filme?
  Um estanho no ninho.

- Metais alcalinos invadem o Complexo do Alemão. Qual é o nome do filme?
  Tropa de elítio.

CHUCK NORRIS NERD FACTS!

★ Uma vez o hidrogênio xingou a família do Chuck Norris. Só uma vez...

★ Ainda não descobriram todos os elementos da tabela periódica. Chuck Norris se recusa a fazer exame de sangue.

OFENSA NERD!

✗ Sua mãe é tão chata quem nem o flúor tem afinidade com ela.

CANTADA NERD

♥ Não sou de origem nobre, mas posso virar. Quer ser o elétron que completa minha camada de valência?

♥ Gata, me chama de hidrogênio e vem me dar uma família!

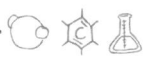

Tweetnovela: Metil matou um cara

Nos meses de novembro e dezembro de 2010, a comunidade nerd vivenciou altas "emulsões" com a primeira (e hidrogenial) tweet-novela do @PiadasNerds. Confira agora a versão estendida, com 42 capítulos.

1. São Pauling, Ponte de Hidrogênio, noite de 15 de novembro. Um elemento está prestes a ter uma reação precipitada.

2. **Policial:** Atenção, Metil, você está cercado! Seus dias de radical livre acabaram!
   Fótons são tiradas pela imprensa.

3. **Repórter:** Estamos aqui onde um radical livre ameaça decair da Ponte de Hidrogênio. De acordo com as autoridades, Metil matou um cara!

4. **Policial:** Metil, você é culpado por causar envelhecimento precoce, enfisema e até câncer! Entregue-se, você precisa ir para a cadeia!

5. **Metil:** Nunca! Sou um radical livre! E se alguém se aproximar, vou reagir!
   Policial: Cuidado, rapazes, ele tem o número ímpar de elétrons.

6. **Psicóloga:** Ele é instável assim porque teve uma infância isenta de antioxidantes. Policial, deixe que eu vá conversar com ele.

7. **Policial:** Ok, mas tome cuidado! Se chegar muito perto, ele pode te roubar elétrons.
   Psicóloga: Não se preocupe, farei uma ligação.

8. **Psicóloga:** Metil, desça daí! Sempre há uma solução!
   Metil: Não sou mais parte da solução, em breve serei um precipitado.

9. **Psicóloga:** Vim para neutralizar essa situação. Conte-me o que houve.
   Metil: Bem... Tudo começou há um tempo atrás, na ilha do Mol.
10. Encontrei amina perfeita na balada e fui xavecá-la. Afinal, precipitado que sou, decantada eu entendo.
11. "Aê, amina! Se beleza desse cadeia, você seria uma aromática, sua cheirosa!"
    Ela riu potássios! "KKKK"...
12. Ela então me devolveu: "Silicato na água, reage?" Eu ri hélios: "HeHeHeHe".
13. Senti que estava rolando uma química entre nós. Tínhamos uma ligação muito forte, sabe? Seu nome era Kátion, era uma garota muito positiva.
14. Vivemos um lance muito orgânico, tínhamos mais afinidade do que os halogênios! Reagimos muito juntos.
15. Mas com o tempo a relação foi ficando saturada. Eu dizia: "O amor é fogo que arde sem se ver". Ela respondia: "O nome disso é metanol!"
16. "Metanol?", disse eu. Foi então que descobri que Kátion era dependente química. Fui trocado por um álcool!

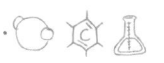

17. Amina pisou no meu S2 com sua butinona. Minha vida amorosa seguia o princípio da incerteza. Era como viver uma meia-vida!

18. Fiquei tão negativo que nem as piadas do Ácido Crômico me alegravam mais. Sentia-me mais solitário do que o Hidrogênio, que nem família tem!

19. Foram dias de muita eletronegatividade. Não conseguia arrumar energia de ativação nem para levantar da cama!

20. Minha instabilidade gerou um câncer e causou uma morte. Por esse crime, passei a ser perseguido como se fosse o Amoníaco do Parque.

21. Fui preso e o delegado me disse que tinha direito a uma ligação. Quis ligar para o meu avogrado, mas o número era muito grande, nunca decorei...

22. Eram muitos os elementos estranhos naquela cadeia isomérica. Todos cismados e transtornados comigo.

23. Minha cela estava cheia de elementos trans. Fiquei me perguntando se aquela seria uma cadeia homocíclica...

24. Recebi vários alcenos e, ao ouvir alcino de recolher, pensei: *Vou entrar pelo alcano!*

25. Devem ter me confundido com o Grafite, pois estavam botando pressão para me fazer diamante.

26. Já na cela ao lado, ficavam o Mercúrio, o Césio 137 e o Ácido Sulfúrico. Denominavam-se "os intocáveis". Muito perigosos.

27. Convivíamos com maníacos nunca encontrados livres na natureza, como o Bário.
    Psicóloga: Que Bário?!
    Metil: Aquele dos crimes atrás do armário.

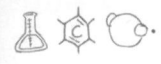

28. Alguns elementos acabavam pirano e indo parar na ala psiquiátrica. Como o Detergente, aquele bipolar. Que rapaz mais tensoativo!

29. Era uma cadeia fechada, de segurança máxima. Os muros eram cheios de spin e cerca elétron.

30. Às vezes, no silício da noite, lia na kama *Robson Crusoé* francês para tentar me manter mais eletropositivo.

31. Meu amigo Frâncio era o mais bem informado, porque vivia do lado do rádio. "Ei, Metil, sabia que Bela Magrela casou com o sr. Barão Ratão?"

32. De vez em quando, ligávamos o rádio para ouvir Carbono Vox ou Kcl: "Quem sabe ainda sou uma molequinha".

33. Sentia saudade de tudo! Do bilhar com meu amigo Dalton. Do pudim de passas da padaria do Thompson. Até das visitas ao Planetário Rutherford.

34. Então resolvi que iria fugir!
    Psicóloga: Como você fez? Pagou propino?
    Metil: Não, quebrei aquela cadeia!

35. Em uma rebelião, a chapa calefou! Eu e meu inflamável amigo C_4H_{10} butano fogo em tudo e fugimos.

36. Mas não sou nobre como aqueles gases. Vivo sem um níquel! Até meu ex-camarada Urânio, que enriqueceu na Coreia, virou as costas para mim.

37. Como viu, minha vida sempre foi um cobre. Eu só me ferro!
    Psicóloga: Calma, Metil, metalize energias positivas.

38. **Metil:** Chega! Estou supersaturado desta vida.
    Psicóloga: Ora, vamos! Seja covalente e enfren...
    NÃÃÃÃÃOOO!!!

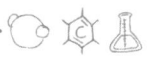

39. IIIIIIIUUUUUUUPAC!!
    Repórter: Que barulho foi esse?
    Psicóloga: Ele pulou!
    Policial: Esse não reage mais...

40. Seis padres carbonos e seis freiras hidrogênios se aproximam.
    Repórter: O que vocês estão fazendo?
    Padres: Benzeno.

41. **Padres:** Vamos usar H_2Oly.
    Repórter: O que é isso?
    Freiras: Água benta.
    Psicóloga: Ei, esperem!

42. Vejam, há um bilhete no bolso dele!!! "Kátion, eu te A($6x10^{23}$), meu sulfeto ($S2-$) é seu. Sulfato de berilo ($BeSO_4$), Metil." Qui-mico!
    FIM

5. FÍSICA

Introdução

Dulcidio Braz Jr.

Tenho defendido que a física é pop. E não tenho dúvida nenhuma disso! O Física na Veia! (www.fisicanaveia.com.br) nasceu para me ajudar nessa tarefa.

Penso que a boa relação com a física é apenas uma questão de como você a encara. Se acreditar que ela é um bicho de sete cabeças, é bom nem olhar para a cara dela, porque vai tremer! Mas, se flertar com ela com "jeitinho", há grandes chances de se apaixonar. Garanto que ela, a física, reagirá de forma muito simpática, divertida, praticamente irresistível.

E tem melhor jeito de encarar qualquer coisa, inclusive a "assustadora" física, do que com bom humor? Pode procurar... Não tem!

Vejo as piadas nerds de física como ferramentas estratégicas que podem servir para quebrar o gelo e ajudar a estreitar relações com a física. Em aulas mais sérias, de assuntos mais pesados, podem até ajudar professores e alunos no processo de ensino/aprendizagem dessa disciplina tão mal compreendida e, infelizmente, muitas vezes até odiada.

Não estou "viajando". Por trás da aparente obviedade (e às vezes até ingenuidade) das piadinhas desta coleção, há que se ter conceitos físicos bem afinados, bem fundamentados, que farão o leitor pensar. E, se ele não rir, é porque ainda falta "alguma coisa". Vai ter que correr atrás, pesquisar, ir mais a fundo para entender o espírito e atingir o clímax: o riso. Note que, se isso acontecer, o leitor já estará aprendendo, sem querer. E ao mesmo tempo se divertindo. Entendeu o que eu quero dizer? Não precisa chorar lágrimas de sangue para aprender física. Dá para trilhar outros caminhos, bem mais suaves. O do riso, a proposta-alvo desta obra, é um deles. Sem dúvida, um dos melhores!

Estou sempre pensando em ensinar física. Dá para perceber isso até neste curto texto, não dá? É que, antes de blogueiro e até mesmo físico, sou professor! E não perco a velha mania de querer ensinar. E a melhor parte dessa história é que me divirto muito com tudo isso, sempre, da sala de aula ao blog, em qualquer lugar ou situação.

Portanto, espero que você também se divirta bastante com esta coleção de piadas nerds de física. E, se com elas sedimentar conceitos e aprender mais, quem vai rir sou eu! Professor é um bicho que fica feliz e ri fácil quando consegue ensinar, nem que seja só um pouquinho!

Dulcidio Braz Jr. é físico graduado pela Universidade Estadual de Campinas, onde trabalhou em pesquisas no Departamento de Eletrônica Quântica do Instituto de Física Gleb Wataghin. Apaixonado pela educação, não resistiu e foi botar a mão na massa: há pouco mais de duas décadas é professor de física. Também é autor de material didático pelo Sistema Anglo de Ensino e pela Companhia da Escola, pela qual, em 2002, lançou o livro Tópicos de física moderna, *trabalho pioneiro no Brasil no ensino de relatividade, física quântica e cosmologia para jovens do fim do ensino médio e início do curso superior. É editor do blog Física na Veia! (www.fisicanaveia.com.br), que integra a seção Ciência e Saúde do UOL e que em 2010 foi eleito por um júri internacional o Melhor Weblog em Língua Portuguesa 2009/2010 no The BOBs – The Best of Blogs, promovido pela emissora alemã Deutsche Welle.*

Piadas de física

❮ Por que o míope não vai ao zoológico?
Porque ele usa lente divergente, e não de ver bicho.

- O que a mulher do Einstein disse quando o viu pelado?
  "Uau, que físico!"

- Por que o atrito e a resistência do ar foram ao psiquiatra?
  Porque eram muito desprezados.

- O que o físico fazia quando queria sair para brincar, mas não tinha tempo?
  Usava a equação de Torricelli.

- O que uma onda diz quando encontra com outra?
  "Lambda!"
  (É que lambda é o comprimento da onda.)

- Aladim:
  – Jasmine, este é o gênio da lâmpada!
  Jasmine:
  – Jura?! Prazer em conhecê-lo, sr. Thomas Edison!

- Quantos físicos relativistas são necessários para trocar uma lâmpada?
  Dois. Um segura a lâmpada enquanto o outro gira o universo.

- Por que as estrelas não fazem miau?
  Porque astro no mia.

SOU O GÊNIO DA LÂMPADA.

MUITO PRAZER EM CONHECÊ-LO, SR. THOMAS EDISON.

- O que a velocidade da equação da energia cinética falou para o raio da Terceira Lei de Kepler?
  "Ado, a-ado, cada um no seu quadrado."

- Quais são as três mulheres mais energéticas?
  Carmen Electra, Carla Amperes e Angelina Joule.

- No jogo dos elétrons contra os prótons, o juiz é nêutron.

- Qual foi o maior retificador que já existiu?
  Jesus Cristo, porque depois dele tudo que era AC passou a ser DC.

- O menininho amedrontado vai ao psicólogo:
  – Eu vejo capacitores!
  – Com que frequência?
  – 60 hertz!

- O físico pinguço bebe porque é líquido. Se fosse sólido, ele comia. Se fosse gasoso, inalava. E se fosse plasma, estudava.

- Pergunta surpresa numa prova final de física: "Defina o universo e dê três exemplos. Justifique".

- Como deixar um rato assustado e aliviado ao mesmo tempo?
  Bote-o ao lado do gato de Schrödinger.

- Qual é o contrário de volátil?
  Vem cá, sobrinho.

- Por que os físicos preferem mulheres de seios grandes?
  Para estudar a combustão.

- Se Obi-Wan fosse físico, ele diria: "Que a massa x aceleração esteja com você".

- Placa afixada na porta do laboratório do cientista Erwin Schrödinger: "Procura-se gato, vivo ou morto".

- Por que Heisenberg nunca teve filhos?
  Porque, quando ele acertava o momento, errava a posição.

- Em que situação enxergamos mais longe: num dia ensolarado ou numa noite estrelada?
  Sem dúvida, numa noite estrelada. Num dia ensolarado, a distância de visibilidade máxima é de apenas 150 milhões de quilômetros (daqui até o sol).

- Qual é o barulho de um fóton colidindo com um elétron de uma placa metálica no efeito fotoelétrico?
  Planck!

- O que um pascal faz quando se sente pressionado e deprimido?
  Procura um bar.

- Qual a música favorita do físico fã de Roberto Carlos?
  "O côncavo e o convexo."

- Por que é covardia brigar com supercondutores?
  Porque eles não oferecem resistência.

- – Quando estou perto de você, o tempo para!
  – Nossa, obrigada!
  – Pois é, baixinha e gorda assim, você deforma o espaço-tempo.

- Onde moram os elétrons?
  Na eletricidade.
  E onde eles jogam futebol?
  No campo elétrico.
  Com que bola?
  Com a eletrosfera.

- O que Newton faz quando quer se disfarçar?
  Desenha um quadrado de 1 m x 1 m no chão ao seu redor e se chama de Pascal.

- Por que Newton nunca ficava parado na estrada quando o carro quebrava?
  Porque ele conhecia o princípio fundamental da mecânica.

- Preguiça também é lei – Primeira Lei de Newton: Todo corpo em estado de repouso tende a permanecer em repouso.

- Quando Newton sofria bullying dos valentões do colégio, como ele jurava vingança?
  "Toda ação tem uma reação. Essa é a minha lei!"

- O que uma onda disse para a outra?
  "Estou cansada da sua interferência!"

> FILHO, TEM COMO VOCÊ IR AO MERCADO?
>
> TODO CORPO EM ESTADO DE REPOUSO TENDE A PERMANECER EM REPOUSO.

- Que remédio tomamos quando estamos vendo dobrado?
  Antibiótico.

- Lei que rege o movimento de corpos nas baladas: $(RAH)^2 (AH)^3 + [ROMA (1+MA)] + (GA)^2 + (OOH)(LA)^2$ – Lei de Gaga.

- Heisenberg estava dirigindo quando um guarda o manda parar.
  – Sabe a que velocidade estava?
  – Não, mas sei onde estou!

- O que é um buraco negro sem roupa?
  É uma singularidade nua.

- O que é distância focal?
  É a distância que separa duas focas.

- Comentarista esportivo: "O jogador contundido acaba de deixar o campo. Ainda não sabemos a dimensão da gravidade". De acordo com meu professor, é m/s^2.

- Corrente elétrica é igual a caminho de freira: passa mais por onde tem menos ohm.

- Quem toca no casamento das impedâncias?
  A banda passante.

- O livro diz que Newton nunca se casou. Mas meu professor insiste que foram três Ladys Newton!

- Quais são as partículas que não gostam de estudar?
  As partículas de antimatéria.

- Um químico e um físico pulam de um prédio. Quem chega primeiro ao chão?
  O físico, pois ele despreza a resistência do ar.
  E quando um físico e um engenheiro pulam de um prédio, quem chega primeiro?
  O engenheiro, porque ele aproxima a gravidade para $10\ m/s^2$.

  OK, HORA DE EMAGRECER...

- Provérbio físico: "A união faz a massa x aceleração".

- Provérbio físico: "A força x deslocamento dignifica o homem".

- Não sou gordo, sou atraente!
  (Lei da Gravitação Universal)

- Não sou gordo, sou cheio de energia! ($E = mc^2$)

- Não sou gordo, sou forte! Pelo menos quando estou em movimento acelerado... (força = massa x aceleração)

  QUE A MASSA X ACELERAÇÃO ESTEJA COM VOCÊ!

- O elétron estava andando e viu a loja do fóton. Lá viu um pacote e perguntou:
  – É quantum?
  E o vendedor respondeu:
  – Quark cê qué?

- Por que o professor de física é o mais indicado para ser capitão do Bope?
  Porque já conhece as Leis do Movimento.

- Por que o físico liga para todo mundo quando está estressado?
  Porque com ligação em série a tensão é dividida.

- Quando um professor de física acha uma pizza "fraca"?
  Quando tem pouca massa e demora para chegar.
  (força = massa x aceleração)

- "Você quis dizer engenharia?" Seu pai bancando o Google depois de ouvir você dizer que vai prestar física.

- Que região do corpo não tem ar?
  O sovácuo.

- Que nome se dá a um conjunto de elétrons músicos andando de ônibus?
  Banda de condução.

- Qual é a transformação termodinâmica que acontece no inferno?
  Adiabática.

- Está atrasado? Cuidado com a velocidade da luz! Se correr demais, chega mais atrasado ainda!

- Como é conhecido o físico pop star?
  Astrofísico.
  E o que ele estuda quando vai para Hollywood?
  Cinemática.

- Considerando que um gato comum tem sete vidas, quantas vidas tem o gato de Schrödinger?
  Em média 3,5 vidas.

- Um cara entra no bar e diz:
  – Um suco de lata.
  O garçom, que entende de física, responde:
  – Dilata, mas tem que esquentar.

- Se tempo é dinheiro, Torricelli foi o mais pobre de todos os físicos.

- Por que ninguém acredita quando a entropia conta a história do sistema?
  Porque a entropia sempre aumenta.

- Qual é o vetor que sempre anda na moda?
  O vetor do momento.

- O que acontece quando se armazena café com açúcar na garrafa térmica?
  Cria-se um recipiente adiabético.

- Não transforme seu trabalho em algo negativo, evite atritos.

- Onde fica o centro de massa do planeta Terra?
  Na Itália.

- Um físico explicando a dieta da lua: "Quer perder peso rapidamente? Vá para a lua".

- Três resistores de 33 ohms cada estão ligados em paralelo a um cofre. Qual é o nome do filme?
  11 ohms e um segredo.

🎬 Um físico resolve se matar por enforcamento. Qual é o nome do filme?
A tração fatal.

CHUCK NORRIS NERD FACTS!

★ Chuck Norris, em pé no foco de um espelho côncavo, vê perfeitamente bem sua imagem conjugada por reflexão.

★ Se Chuck Norris socar um próton, achamos o bóson de Higgs antes do LHC.

OFENSA NERD!

✗ Sua mãe é tão gorda que, quando bate na perna, a pele faz um MHS.

✗ Seu pai é tão magro que seu centro de massa fica na cabeça.

✗ Sua mãe é tão gorda que a luz faz curva quando passa perto dela.

✗ Sua mãe é tão feia que, numa caixa com ela, o gato de Schrödinger só pode estar morto.

CANTADA NERD

- Cantada de físico na balada: "Pode vir fervendo que eu sou plasma!"
- Cantada de astrofísico: "Você é minha estrela de primeira grandeza, pois é a que exerce o maior poder de atração sobre mim".
- Gata, você parece do tipo que cuida muito do físico. A propósito, sabia que sou físico?

Como fazer uma prova sem relógio

Em 2010, pela primeira vez, o Exame Nacional do Ensino Médio resolveu proibir o uso de relógios. A prática já existia em alguns vestibulares, mas mesmo assim a proibição pegou de surpresa um grande número de alunos, já acostumados a controlar o tempo durante os exames. O Enem de 2010 estava tão "proibidão" que nem mesmo lápis pôde ser utilizado. Será que o Coringa se inscreveu naquele ano? Enfim, o @PiadasNerds, juntamente com seus seguidores, discutiu a questão e formulou algumas hipóteses científicas para driblar essa dificuldade. Confira algumas das soluções.

SOLUÇÃO 1 – Levar ampulheta
Nada foi dito sobre a proibição de ampulhetas.

✔ **Prós:** É chique e ainda mostra que você entende de história. Pode intimidar o concorrente.

✘ **Contras:** O problema é que a prova tem cinco horas de duração. Teria que ser uma giga-ampulheta, como aquela de *O mágico de Oz*. Nerds têm, no máximo, a ampulheta do *Imagem e ação*, que dura apenas um minuto. Seria preciso virá-la trezentas vezes. Além disso, ampulhetas lembram o Windows. Eww!

SOLUÇÃO 2 – Construir um relógio de sol

Grude uma caneta na carteira com um chiclete e desenhe os números em volta, na própria mesa. Dica: marque os números a cada quinze graus.

✔ **Prós:** Tem precisão razoável e ainda é ecologicamente correto.

✘ **Contras:** Dizem que Chuck Norris conta os segundos do relógio de sol até de noite! Mas você não é Chuck Norris. Então, se o dia estiver nublado, ou você estiver sentado longe da janela, de nada vai adiantar.

SOLUÇÃO 3 – Improvisar uma clepsidra

Também conhecida como relógio de água, a clepsidra pode ser facilmente improvisada, porque não proibiram (ainda) as garrafinhas de água. Um dia antes da prova, faça um furo pequeno em uma garrafinha de plástico e conte o tempo que a água leva para deixar todo o recipiente.

✔ **Prós:** O barulho é muito relaxante, pode ajudar a conter o desespero típico dos vestibulares.

✘ **Contras:** O barulho também pode dar vontade de ir ao banheiro. Não dá para ficar pedindo para sair da sala o tempo todo.

SOLUÇÃO 4 – O drops da hora

Ainda é permitido levar balas e doces. Muito bem, arrume um drops que leve cerca de cinco horas para se dissolver e passe a medir o tempo com a própria língua! Se não encontrar um drops assim, sem problemas: é só usar vários dos mais "rápidos".

- ✔ **Prós:** O exame pode ganhar sabor de abacaxi, limão, morango, entre outros. Como a indústria alimentícia ainda não pensou nisso? Pensem no marketing: "Balas da Hora. Chupa, vestibular!" Acho que vamos patentear...

- ✘ **Contras:** Esse método pode causar cáries. Mas convenhamos, tem gente que daria um dente da frente para entrar na Unicamp!

SOLUÇÃO 5 – Método do candidato baladeiro

Pensando um pouco na química agora. Sabe aquelas pulseirinhas de neon que usam nas baladas? Elas brilham por conta da oxidação do luminol, e esse brilho dura aproximadamente cinco horas. Além disso, o decaimento do brilho é razoavelmente linear, então você pode medir a passagem do tempo pelo brilho de sua pulseirinha!

- ✔ **Prós:** É fashion! E ainda fica no seu pulso, como ficava o relógio de verdade. Uma solução literalmente brilhante!

- ✘ **Contras:** A sala teria que estar bem escura para você notar claramente a diferença. Além disso, o tempo da reação depende da temperatura do dia, e isso você não pode prever com segurança.

SOLUÇÃO 6 – Relógio na caneta

Por que não levar uma caneta com carga equivalente a cinco horas de uso? É só marcar gradações no corpo dela.

- ✔ **Prós:** É um método barato. A propósito, caneta com corpo transparente era a única permitida no Enem.

- ✘ **Contras:** Você não poderá parar de escrever. E se, por algum erro de cálculo, a carga da caneta acabar antes da prova, bem, espero que não esteja faltando o gabarito...

SOLUÇÃO 7 – Relógio de Viagra

Já ensinamos você a medir o tempo com a língua, agora vamos falar de um método que usa outra parte do corpo... Tome uma pílula azul no dia anterior à prova e conte o tempo de duração do efeito. No dia seguinte, é só fazer o mesmo e medir a passagem do tempo pelo grau de rigidez do "relógio".

✔ **Prós:** Se alguém achar estranho, você justifica dizendo que prova sem relógio é dureza mesmo.

✘ **Contras:** Esse método não funciona para mulheres. Mas tudo bem, elas podem acompanhar a passagem do tempo pelo relógio do colega ao lado.

SOLUÇÃO 8 – Relógio Activia

Este modelo de relógio biológico leva em conta outro fator de sua anatomia. Tomando o famoso iogurte de efeito laxativo nos dias anteriores à prova, você pode treinar seu organismo para funcionar "como um reloginho".

✔ **Prós:** Você vai entrar no "ritmo" (de acordo com o comercial).

✘ **Contras:** Exames de vestibular já têm, naturalmente, efeitos laxativos. É possível que, misturando os dois, o efeito seja potencializado. Seus colegas de classe podem reclamar.

Existem muitos outros métodos – desafiamos você a pensar em novas soluções. E, por mais que você pense que não será preciso, tome cuidado... Vai que um professor editor do exame, muito sacana, resolve escrever: "Valendo 20% da nota, que horas são?"

6. BIOLOGIA

É UMA **EMO**GLOBINA.

Introdução

Atila Iamarino

> *Um aspecto curioso sobre a teoria da evolução é que todo mundo acha que a entende.*
> JACQUES MONOD,
> *On the Molecular Theory of Evolution* (1974)

A biologia é uma curiosidade inata das pessoas. Todo mundo fica interessado por uma lagarta diferente, ou algum tipo de besouro que apareceu em casa, em especial as crianças. "Você é biólogo? Então qual é o nome deste bicho? De que planta é esta folha? Isto aqui que achei no meu quintal come o quê? No que acabei de pisar (mostrando uma gosma na sola do sapato)?" São frases que todo biólogo ouve, principalmente em festas de família, onde todos sabem o que ele faz. Não que o nome que explicamos vá ser lembrado por mais de dez minutos.

No entanto, o sistema de ensino, uma das poucas áreas do conhecimento que quase não mudaram no último século, destrói boa parte desse interesse. A biologia é uma área que foi tradicionalmente escrita em grego ou em latim, o que nos proporciona os famosos e inúmeros nomes, que, em vez de ser explicados, são escritos na lousa e cobrados na prova. Citoplasma, por exemplo, por mais cabeludo que pareça, quer dizer simplesmente líquido (plasma) da célula (cito). Simples assim, aguinha da célula. Mas não é isso que normalmente os alunos aprendem. Enquanto a biologia avança diariamente a passos impressionantes, para explicar muito do funcionamento do ser humano e da natureza, ainda aprendemos as descobertas de cinquenta anos atrás. A própria evolução, ainda em debate no ensino, já foi resolvida e aceita há décadas, e continua sendo muito mal ensinada.

Por sorte, o interesse ainda está lá, dormente. De uma curiosidade simples ao envelhecimento, a biologia está presente a todo momento em nossa vida, e pode explicar coisas muito importantes. Acredite, entender como a pílula anticoncepcional funciona pode fazer diferença na vida das pessoas. Basta olhar com outros olhos aquela matéria dos nomes que muitos passaram o ensino médio decorando. Os guardas do Instituto de Ciências Biomédicas, onde desenvolvo meu doutorado, já sabem como usamos bactérias para inserir e copiar DNA, e como eu mantenho o genoma do HIV dentro delas para não precisar manipular o vírus, muito mais perigoso. Esse conhecimento é fruto das conversas que temos quando passo, em que as perguntas partem todas deles. Ninguém precisou cobrar na prova para ser interessante.

Então, aproveite esta coletânea das tuitadas nerds de biologia para renovar sua paixão por essa área. E, se você não entender a piada, é porque ela está em grego mesmo, mas garanto que o significado é bem simples. Quem sabe você não se empolga e tenta rever aquela matéria de biologia celular que explicava tudo isso?

Atila Iamarino é um biólogo viciado em informação, formado e doutorando pela Universidade de São Paulo, que encontrou nos vírus e na evolução uma ótima desculpa para continuar interessado por todos os organismos. É um dos criadores da rede de blogs científicos ScienceBlogs Brasil (scienceblogs.com.br) e autor do blog de biologia Rainha Vermelha (scienceblogs.com.br/rainha), onde aproveita para passar adiante as curiosidades que encontra além do Twitter (@oatila). Também edita o ResearchBlogging (researchblogging.org) em português, site que agrega posts de diversos blogs que se baseiam em artigos científicos, e escreve no Papo de Homem (papodehomem.com.br) sobre a evolução e o universo masculino.

Piadas de biologia

- Quando rola química é bom. Se rolar física, melhor ainda. O problema mesmo é quando rola biologia...

- A célula e o vírus foram ao cabeleireiro. O que a célula disse?
"Mitose!"
E o vírus?
"Replica, por favor."

- Por que a célula foi ao psicólogo?
Porque ela tem complexo de Golgi.

- Como as hemácias se orientam no sangue?
Seguindo as plaquetas.

- O que o neurônio diz quando vai dormir?
"Aaaaxônio..."
E onde ele vai se deitar?
Na rede neural.

- Precisa-se de bactéria autotrófica com experiência para colonizar planeta distante. Entregar currículo até 2012.

- Bactéria: Muitas vezes, essa é a única cultura que um indivíduo possui.

- O que um professor de biologia careca disse para outro careca?
"Lisossomos!"

- O que são dois pontos pretos no microscópio?
Uma blacktéria e um pretozoário.

- Professor de biologia:
– Qual é a função do esqueleto?
Joãozinho:
– Conquistar o Castelo de Grayskull!

- Qual é a principal diferença entre biologia e matemática?
É que, na biologia, "divisão" e "multiplicação" são sinônimos.

- O melhor da Copa do Mundo foi ver até os criacionistas apoiando a seleção.

- O que é um ponto marrom no pulmão?
  Uma brownquite.

- O que um cromossomo falou para o outro?
  "Cromossomos felizes!"

- O que é um pontinho triste no sangue?
  Uma emoglobina.

- O amebo chegou para a ameba e disse:
  – E aí, vamos dar uma protozoada?
  A ameba respondeu:
  – Não, e não encista.

- O que os alunos fazem quando o professor de botânica conta uma piada?
  Eles haploidem.
  E quando são duas piadas?
  Eles diploidem.

- Quem veio primeiro, o ovo ou a galinha?
  O ovo. A galinha foi apenas o jeito que ele encontrou para se reproduzir.

- O coelho simboliza a Páscoa porque se reproduz muito. Mas, oras, as baratas se reproduzem muito mais! E ainda botam ovos!

- Por que a hemácia foi multada?
  Porque não viu a plaqueta.

- O que um cromossomo comprido disse para o outro?
  "Autossomos!"

- O que dois neurônios fazem antes de assistir a um filme?
  Leem a sinapse.

- Por que o vírus não faz DDD nem DDI?
  Porque ele não tem estrutura celular.

- Para um geneticista, qual é o sentido da vida?
  5' –> 3'

- Como um geneticista ri no MSN?
  "ATGCATGCATGCATGC!!"

- O que é um líquido amarelo dentro da célula?
  O yellowplasma.

- Como o frango pode se vingar das pessoas no matadouro antes de morrer?
  "Atchim!"

- Por que os celomados são o grupo animal mais melancólico?
  Porque possuem um vazio interior.

- – Posso te dizer uma coisa do fundo do meu coração?
  – Claro, amor!
  – Válvula mitral.

- Comissão de formatura da turma de biologia:
  – Temos que Darwin uma festa que Lamarck a ocasião!
  Calouro:
  – Me Mendel um convite?

- Provérbio biológico: "Os fenótipos enganam".

- Coitadas da Mulher Maçã, Pera e Morango. Mal sabem elas que, na verdade, são mulheres-pseudofrutas.

- Como um biólogo xinga um mau motorista?
  "Ei, presta atenção! Seu transmissor de Chagas!"

- Como um biólogo xinga numa fila de banco?
  "Mas será possível que só tem quelônio nesta agência?"

- O que Darwin disse ao ver o ornitorrinco?
  "É, de volta à estaca zero..."

- O que uma célula ameboide canta no show do Beto Barbosa?
  "Fagocita, meu amor, fagocita."

- Como as organelas saem para passear?
  De motocôndria.

- A Hello Kitty fala com o coração. Ela deve ter átrios e ventríloquos.

- A mãe lula não deixa o filho fazer o que quer. O que o filho diz?
  "Ah, mãe! Mas cefalopode!"

- O que o lisossomo faz quando tem uma dúvida?
  Procura no Golgi.

- O Complexo do Alemão funciona como o complexo de Golgi: armazena, transforma, empacota e remete substâncias.

- Por que não se podem deixar doces ao lado da piscina?
  Porque o cloro fila.

- O que a uracila disse para a adenina?
  "É nós na fita, mano!"

- Pode parecer que não estou fazendo nada, mas em nível celular estou bastante ocupado.

- Darwin precisou de um navio para explorar a fauna de ilhas distantes e observar a evolução das espécies. Que falta *Pokémon* fazia na época!

- "Você quis dizer medicina?" Seu pai bancando o Google depois de ouvir você dizer que vai prestar biologia.

> MOSTRE-ME UM SER QUE NÃO TENHA PARENTESCO QUE EU COLOCO MINHA TEORIA NO LIXO.

> PIKA?

- "Médicos são biólogos frustrados, pois se especializam em apenas uma espécie." Biólogo respondendo ao pai-Google.
- Ana evolui para uma Power Ranger sem passar por estágios intermediários. Qual o nome do processo biológico? Anamorfose.
- Qual é o único artrópode com endoesqueleto? O Homem-Aranha.
- O professor vê o aluno distraído e pergunta:
  – Você não está copiado nada?!
  – Isso não é verdade, estou sempre copiando meu DNA.
- O que o filho do biólogo falou para o sr. Cabeça de Batata? "Oi, quer ser meu amido?"
- O que é um vírus de calça boca de sino e cabelo black power? Um retrôvírus.

● Cientista falando aos colegas:
  – Vejam, ensinei o rato! Quando ele fica com fome, pressiona a alavanca para receber alimento.
  Rato falando aos amigos:
  – Vejam, ensinei o cientista! Toda vez que pressiono a alavanca, ele me alimenta.

● O que um canibal vegetariano come?
  A planta do pé, a batata da perna, a maçã do rosto, a raiz do cabelo e a aorta.

● Por que o biólogo batizou apenas um de seus filhos gêmeos?
  Porque quis manter o outro para controle.

🎬 Uma esponja, uma medusa e uma tênia estão brigando. Qual o nome do filme?
  A guerra dos sem ânus.

✚ Como saber se um paciente tem esquistossomose?
  Ele fica esquissito.

✚ Em que área da medicina mais se vê a inclusão digital?
  Na proctologia.

✚ A quem se deve pedir dinheiro?
  A um doente de Chagas, pois ele tem coração grande!

✚ – Tenho más notícias: você tem câncer e mal de Alzheimer.
  – Oh, não!!! Bem, pelo menos eu não tenho câncer...

✚ Qual é o carro que todo médico quer ter?
  O Xsara.

✚ Qual é a doença que te engravida?
  Febre tifoide.

✚ Qual é a doença que faz você gostar de gente triste?
  Emofilia.

✚ O exame de toque é um exame analógico, porém feito digitalmente. Que profundo isso!

✚ – Lamento informar, mas sua mulher está perdendo a cabeça por causa do alemão.
– E qual é o nome do desgraçado?!
– Alzheimer.

CHUCK NORRIS NERD FACTS!

★ As lágrimas de Chuck Norris podem curar o câncer. O problema é que ele nunca chora.

★ Paleontólogos afirmam que um meteoro exterminou os dinossauros. Mal sabem eles que foi Chuck Norris que os capturou nas pokébolas.

★ Chuck Norris só possui genes recessivos. Nada pode dominar Chuck Norris.

OFENSA NERD!

✎ Sua mãe é tão ruim que metaboliza arsênio no lugar de fósforo!

- Sua mãe é tão burra que come flores para tentar enfeitar os vasos sanguíneos.
- Sua mãe é tão feia que Darwin a usaria como exemplo para provar que Deus não existe.

CANTADA NERD

- Mina, você tem 38 cromossomos? É que você é uma gatinha.
- Olá, princesa, você gosta de água? Então você gosta de 70% de mim!
- Olá, gata, sou um consumidor primário. Sabia que você é um brotinho?
- Simplificando a cantada anterior, caso você queira ser mais direto: "Olá, gata, sou um consumidor secundário".
- Gata, você está no meu mediastino médio, entre a segunda costela e o quinto espaço intercostal esquerdo!
- Você é a adenina que completa minha timina.

A cozinha maravilhosa do biólogo: preparando a sopa primordial

Acooooorda, menina criacionista!

Eu sou a Oparinha e hoje vamos aprender uma receita que há muito tempo está dando o que falar no sistema solar: a sopa primordial! Este programa especial vai para os meus amigos neodarwinistas que sempre se perguntaram como material orgânico pode vir do inorgânico.

Aí vocês, minhas amiguinhas e meus amiguinhos, vão me perguntar: "Mas, Oparinha, como posso fazer uma receita tão cheia de vida se não tenho oxigênio?" Ora, o brigadeiro é doce e não leva açúcar na receita, leva? Então! Com um pouquinho de criatividade na cozinha, a gente sempre dá um jeitinho.

Anote aí os ingredientes:

- ✔ **Hidrogênio**
- ✔ Alguns tabletes de **amônia**
- ✔ **Metano** a gosto
- ✔ Uma pitada de **monóxido de carbono**
- ✔ Raspas de **formaldeídos**
- ✔ Milhares de **meteoritos**
- ✔ E **água**, muita água. No mínimo um oceano, e no estado líquido! Se seu planeta tem apenas pequenas concentrações de água congelada, trate de aquecer essa atmosfera, senão a receita não dá certo.

Modo de preparo:

- ✔ Misture tudo no oceano e deixe repousar por três bilhões de anos.
- ✔ A quantidade correta de calor e luz ultravioleta aqui é vital! Recomendo deixar a pelo menos três planetas de distância do sol.
- ✔ Também não podemos esquecer da eletricidade. Semeie bem as nuvens para garantir grandes tempestades elétricas. Os resultados vão te deixar cho-ca-da!
- ✔ Veja que coisa linda! Repare nos aminoácidos formados, veja como eles se recombinam para formar algo inteiramente novo.

Para acelerar a receita, você pode salpicar os meteoritos recheados de aminoácidos já formados no espaço. Uma hora, ácidos nucleicos darão origem aos primeiros organismos fermentadores e fotossintetizantes. Daí, minha amiga, ninguém mais segura essa mistura.

✔ Respire fundo. Sente esse aroma? Exato! É o oxigênio! Graças à fotossíntese, o oxigênio agora toma conta da atmosfera. Não falei que daríamos um jeito? Esse novo elemento possibilita formas de vida mais complexas e que precisam de mais energia, como você, como ele, como a mãe dele, como a Vânia, como o Damião, como a Andreia, como a dona Maria... Enfim, deu pra entender? Com essa receita comem muitos!

Observações importantes:

✔ Tome cuidado. Em um ponto da receita, alguns seres começam a fugir da "panela" e podem fazer a maior sujeira ao redor.

✔ Essa receita não contém conservantes, mas contém coacervados. Mesmo não sendo uma sopa de letrinhas, termina cheia de As, Cs, Gs, Ts e Us.

✔ Apesar da complexidade dos sistemas formados, você pode perceber que essa não é uma receita difícil de fazer. É quase como se ela evoluísse sozinha!

Rendimento:

✔ A sopa serve para aproximadamente sete bilhões de pessoas. Talvez um pouco mais... Mas, se o planeta continuar aquecendo no ritmo que está, será preciso transferir a mistura para outro recipiente. Ninguém gosta quando os humanos passam do ponto.

7. INFORMÁTICA

Introdução

Henrique Fedorowicz

Às vezes, quando me perguntam: "Henrique, se você não fosse analista de sistemas, seria o quê?", eu respondo: "Feliz". É óbvio que é só mais uma das piadinhas que circundam o mundo nerd, que tem no "cara da informática" um de seus ícones máximos.

No fundo, no fundo, eu gosto (sem duplo sentido) de pertencer a esse meio, pois, apesar de gordinhos e branquelos e da fama de virgens (só fama), somos de maneira geral muito bem dotados de humor (só de humor, uma pena...). Unidos na desgraça, nas várias noites em que passamos acordados em meio a servidores e sistemas, costumamos dar boas risadas.

Então, felizes nós somos, afinal que vantagem teríamos sendo, por exemplo, jogadores de futebol? Sexo sem compromisso com uma modelo diferente por dia? Churrascaria de três a quatro vezes por semana? Cinquenta mil pessoas gritando seu nome em um estádio lotado? Uma Ferrari na garagem? Bah, fazemos tudo isso no *Second Life*, e o melhor, sem nem suar...

Henrique Fedorowicz é comediante stand-up e analista de sistemas (sim, você leu direito). Desde 1998 trabalhando com informática, Henrique se formou em ciência da computação apenas em 2004. No stand-up, começou em 2007 (informática cansa rápido), se destacando ao participar do quadro "Mico aberto" do espetáculo Comédia em pé. *A partir daí, vieram convites para apresentações em diversos shows pelo Brasil, entre eles o próprio* Comédia em pé *e o* Clube da Comédia Stand-Up. *Estuda teatro no Tablado e participou de oficinas de comédia e improviso ministradas por*

Fernando Caruso e Daniela Ocampo. Recentemente se apresentou como convidado no show Rindo à toa com Chico Anysio e seus amigos e participou do quadro "Humor na caneca", do Programa do Jô. Em 2010, ficou em cartaz com Comédia carioca, no Teatro das Artes, no Rio de Janeiro. Ainda atuando nas duas atividades, Henrique sonha um dia usar suas capacidades nerds só para o mal (no caso, o humor). Twitter: @henriquewicz.

Piadas de informática

- Três grandes perguntas que precisam de resposta:
  1) De onde viemos?
  2) Para onde vamos?
  3) Será que lá tem internet?

- O que uma impressora falou para a outra?
  "Essa folha no chão é sua ou é impressão minha?"

- O técnico foi formatar o PC do Arnold Schwarzenegger e perguntou:
  – Instala o XP?
  Arnold respondeu:
  – Instala Vista, baby.

- No oftalmologista:
  – Doutor, estou tendo problemas de vista.
  – Já tentou um upgrade pro Seven?

- Um computador sem Windows é como um bolo de chocolate sem mostarda.

- O que é um terapeuta?
  1.024 gigapeutas.

- O que um programador baiano falou para o outro?
  "Ó, meu array!"

- Para qual santo você reza quando esquece a senha?
  São Login.

  SÃO LOGIN, SÃO LOGIN...

- Qual é a banda favorita dos nerds?
  Banda larga.

- Um programador foi ao açougue e pediu um quilo de carne. Chegando em casa, ficou indignado: "Estão faltando 24 gramas!"

- Qual a diferença entre hardware e software?
  O software você xinga, e o hardware você chuta.

- Desde que comprei meu laptop, não uso meu desktop. Tô com medo de ligá-lo e ver um wallpaper do MST.

- O que o C++ falou para o C?
  "Você não tem classe."

- Por que o livro do nerd pula da página 403 para a 405?
  Porque a 404 não foi encontrada. E se o nerd for um bom moço, ele não lê a 403, porque é proibida.

- O que o programador SQL faz quando acorda atrasado?
  Select *from roupa suja where date > uma semana.

- Qual é a especialidade de um técnico em informática evangélico?
  Converter arquivos.

- Por que o sapo entrou no computador?
  Para procurar a RAM.

- Esse negócio de Restart, Restart, Restart não é nada bom. Ou sobrecarrega a fonte ou queima o hard drive.

- O que um nerd responde quando lhe perguntam o que o deixa com tesão?
  "CAPS LOCK!"

- O que o programador foi fazer no Programa do Mousezinho?
  Teste de DNS.

- Teria sido Chico Xavier o precursor da impressora wireless?

- Qual o nome de um dos primeiros protocolos de transferência de dados?
  DPL/DPC (disquete pra lá/disquete pra cá).

- Facebook: "O que você está pensando?"
  Twitter: "O que está acontecendo?"
  Orkut: "Aonde foi todo mundo?"

- Novidade no MSN: Já conhece o emoticon bipolar? :):

- Vida de nerd não é fácil. Tente explicar para sua mãe que você não pode almoçar porque está recompilando o kernel. Dificilmente você conseguirá explicar o que é "recompilar". Muito menos o que é "kernel". É melhor largar tudo e ir almoçar!

- O que aconteceu com o pintinho binário que não tinha 1?
  Foi compilar e explodiu!

- Minha webcam é tão antiga que deveria se chamar Hebecam.

- Como se chama a linguagem de programação no universo de *Star Wars*?
  JabbaScript.

- Por que ninguém pisca quando Steve Jobs tira foto?
  Porque ele não usa Flash.

- Por que Bill Gates só come lanche no Bob's?
  Porque ele tem medo de Big Mac.

- Como um webdesigner fecha a casa?
  </home>.

- Como um webdesigner macumbeiro fecha o corpo?
  </body>.

- Qual é a diferença entre um traficante e um microprocessador?
  O traficante não decodifica, ele só busca e executa.

- Qual é a linguagem de programação usada no laptop da Xuxa?
  Ruby, porque a Xuxa adora os do ends.

- Qual é a principal diferença entre o Batman e o Bill Gates?
  É que o Batman consegue derrotar o Pinguim.

- Como o Latino cantaria se fosse nerd?
  "Hoje a party é no meu IP, pode aparecer, tem um slot pra você."

- Um dia eu ainda conheço essa tal de Rute, tão famosa entre os programadores e usuários de Linux.

- – Poxa, amor, você esqueceu nosso aniversário de dois anos de namoro?
  – Desculpa, meu anjo, minha memória é RAM!

- Atenção, você que é programador e passa a madrugada fazendo programa, ou é apenas um GoogleBoy: evite os vírus e fique longe do crack.

- Como fazer o Excel dançar o moonwalk?
  Usando a macro Jackson.

- Por que o Linux usa o pinguim como mascote?
  Porque não congela.

- Qual é o arquivo que não pode chegar perto de crianças?
  Pdf.file.

- Dia dos Professores: Para deixar seu professor feliz, não dê uma maçã, dê um Apple!

- Qual é o uísque favorito dos nerds?
  <label style="color:#FF0000"> Keep Walking </label>.

- Se o Fantástico é uma revista eletrônica, devia passar no iPad e não na TV...

- Romantismo nerd: "Aê, mulherada, sem essa de esperar instalação. Comigo é plug and play!"

- O que é laptopspirose?
  É uma doença transmitida pela urina do mouse.

- Por que o bit se perdeu na floresta?
  Porque não levou o bitmap.

- Para o programador, toda mulher é objeto – da classe SerHumano.

- O que é smartphone?
  É um telefone mais esperto que você.

- Qual é o DJ mais conhecido nas festas nerds?
  O DJ Query.

- O que é um JPG?
  Um GIF desanimado.

- Quantos programadores são necessários para trocar uma lâmpada?
  Nenhum. É um problema de hardware.

- Para um nerd, o primeiro Ctrl+P é o que fica.

- Mais vale um tuíte na mão do que uma baleia voando.

- Às vezes, um .jpg vale mais que mil .txt.

- Se a vida te der um LMAO, dê um LOL para ela.

- Suporte técnico:
  – Por favor, feche todas as janelas.
  – As da sala já estão fechadas. Fecho as do quarto também?

- Suporte técnico:
  – O modem tem uma arroba?
  – Não, no máximo uns quatrocentos gramas.

É NESSA JANELA, VÔ.

JANELA?

- Suporte técnico:
  – Por favor, qual é o Windows da sua máquina?
  – É... Windows Media Player.

- Suporte técnico:
  – Senhora, sua impressora é do tipo monocromática ou colorida?
  – Ela é bege!

- – Meu modem não tá funcionando!
  – Quais luzes estão ligadas?
  – A da sala e a da cozinha, por quê?

- Cliente liga para o suporte técnico: "Comprei um modem sem fio da marca Wireless, mas ele não funciona sem o fio na tomada! Devo ligar para o Procon?"

- Suporte técnico:
  – Por favor, senhor, poderia me dizer o que o senhor vê no lado direito do seu monitor?
  – Uma samambaia.

- Suporte técnico:
  – Tem alguma coisa no C: que você quer salvar?
  – Em mim?!

– Estou com dificuldade para pagar o boleto.
– Pode me passar o código de barra?
– Claro! Começa com um fino, depois grosso, grosso, fino, fino, grosso...

> CERTO, VÔ, MAS O QUE VOCÊ VÊ DO LADO ESQUERDO DO SEU MONITOR?
>
> UMA SAMAMBAIA.

- Qual é o filme favorito de Steve Jobs?
  Kill Bill.

- Scarlet entrou em sites suspeitos e perdeu todo o HD. Qual é o nome do filme?
  E o vírus levou.

- Uma mulher encomenda um computador novo, que chega com uma versão demo. Qual é o nome do filme?
  O PC de Rosemary.

- O sujeito testa a última versão do DOS e sua casa fica alagada. Qual é o nome do filme?
  O último DOS mói canos.

- int x = 10; int y = 10; int z = x+y; printf("%d",z);
  Qual é o nome do filme?
  O código dá 20.

CHUCK NORRIS NERD FACTS!

★ Chuck Norris conseguiu rodar Windows Vista em seu Tamagoshi. E não travou.

★ Chuck Norris consegue usar Ctrl+C e Ctrl+V na máquina de escrever.

★ Chuck Norris já hackeou o Pentágono pelo laptop da Xuxa. E usando só o mouse.

OFENSA NERD!

✗ Sua mãe é tão gorda que usa iPad como iPhone.

✗ Sua mãe é tão fofoqueira que deu overpost no WikiLeaks.

✗ Sua mãe é mais pesada que o Windows Vista.

✗ Sua mãe é tão feia que dá tela azul no espelho.

CANTADA NERD

- ♥ Gata, casa comigo? Te dou domínio, hospedagem e suporte técnico.

- ♥ Seu pai trabalha no Google? É que em você eu encontrei tudo o que procurava.

- ♥ Amor(){while(!você)felicidade--;if(uma_chance)printf("vamos sair hoje?");}

- ♥ E aê, gata, tá a fim de jogar um multiplayer aqui em casa, ou vai ficar no single player com controle que vibra?

- ♥ Você é o processador que a minha placa-mãe pediu à Dell!

- ♥ Você é o CSS do meu HTML.

O Evangelho segundo os nerds

Quase três horas sem internet. Leonerd e Ferdinerd perdem a paciência e resolvem partir para o campo minado do mundo real – quem sabe na lan house a conexão não tenha caído?
No caminho, os dois nerds escutam um pastor pregando. A dupla é vencida pela curiosidade e decide adentrar o recinto. Duas horas de histórias bíblicas depois, os atentos nerds (obviamente sentados na primeira fileira) deixam o local cheios de novas informações a processar.

F: Cara, precisamos postar no blog o que ouvimos hoje.

L: Já imagino até o título do post: "O culto: muito mais do que um arquivo que não vai ser exibido normalmente pelo ambiente gráfico".

F: Vamos anotar logo tudo que aprendemos. Do que você se lembra?

L: Bem... "E no início, tudo era DOS."

F: Certo! E então surgiu um sistema chamado Adão e logo em seguida foi desenvolvido um fork chamado Eva, ambos na plataforma Éden.

L: Isso mesmo, daí veio um worm que influenciou o sistema Eva a provar da Apple. Por essa operação ilegal, eles receberam kick e ban e passaram a integrar uma outra plataforma, cheia de bugs.

F: Muitos ciclos se passaram, mas, como o script era ruim, a humanidade.exe começou a dar pau. Foi então que Deus disse a Noé: "Faz backup que eu vou formatar".

L: Mas nem dando flood a humanidade melhorou, então Deus enviou o tal de @JesusCristo, que, apesar do poder de modificar o código-fonte da Matrix, tinha apenas doze followers no começo.

F: Acontece que seus atos de pirataria começaram a chamar a atenção das autoridades, como quando distribuiu ilegalmente cópias de pão e peixe, violando o copyright do padeiro e do peixeiro.

L: Pois é, para piorar veio o tal do @JudasTr8tor, que na verdade era um spyware do Império, e deu "report abuse". Por conta disso, Jesus acabou morrendo tagged na cruz.

F: Mas nada que um "respawn = 3 days" não resolvesse. Sua versão reloaded era ainda mais poderosa, mas em vez de ficar ele preferiu upar e aderir ao cloud computing.

L: E essa história é conhecida até hoje, porque alguns de seus followers criaram um log de sua vida, o qual chamaram de Bíblia. Essa compilação de textos, que diz que só Jesus dá Ctrl+S, pode ser considerada o precursor do Google, porque muitas pessoas recorriam a ela para encontrar respostas. Até hoje tem quem consulte esse livro à procura de algoritmos para sua vida.

F: Nah, a verdade é que essa Bíblia é como uma licença de software: ninguém realmente lê tudo, apenas chega ao final e clica em "aceito".

L: De qualquer modo, essas pessoas terão que encarar o Criador no dia em que a grande tela azul da morte vier.

F: A propósito, o pastor disse que precisamos nos converter para nos salvar, mas nunca disse para qual formato! Seria ".god"?

L: Precisamos descobrir logo. Será que falta muito para o grande Shift+Delete do mundo?

F: Bom, a humanidade.exe está bastante corrompida, mas o pastor ensinou os sinais do fim dos tempos. Os quatro cavaleiros do Apocalipse virão, lembra?

L: Qual é mesmo o nome deles?

F: Acho que é Guerra, Peste, Fome e Morte.

L: Em outras palavras: Warcraft, Spam, Internet 3G e... Ah, não! A queda da nossa internet foi o sinal que faltava! ELES JÁ ESTÃO ENTRE NÓS!! Já posso ouvir os PANs do Apocalipse...

F: Calma, não seja tão alarmista. O boot divino virá, mas ainda vai demorar um pouco até a chegada do Restart... Oh, wait!!

8. CULTURA NERD

Introdução

Fernando Caruso

Agora é a hora do recreio! Você já quebrou a cabeça com piadas sobre matemática, fritou as sinapses nas piadas sobre biologia, riu por inércia nas piadas de física etc. Agora é o momento de relaxar com algumas piadas sobre cultura nerd de modo geral! (Na verdade essas piadas não se encaixavam em nenhuma outra definição, por isso os autores criaram essa alcunha. Mas convenhamos: as melhores piadas são as que não se encaixam em nenhum lugar. Ok, talvez não sejam, acabei de inventar isso. Mas no momento me pareceu bem verdadeiro.) Aqui vocês encontrarão piadas sobre *Star Wars*, RPG, videogame, super-heróis, desenho animado e mais um montão de coisas que talvez só tenham graça para você e mais dois amigos seus. E convenhamos, essas são as piadas mais engraças! (Eu sei, repeti de propósito.)

De qualquer forma, fico extremamente lisonjeado de introduzir este capítulo. Meu primeiro contato com o @PiadasNerds foi através de piadas desse tipo, como "Quantos Sayajins são necessários para trocar uma lâmpada?" ou "O que o Mario fala quando quer terminar o namoro com a princesa?" Essas piadas são muito especiais para mim. Quando você encontra algo de que gosta muito, no meu caso a comédia, fazendo uma interseção com outra coisa de que você gosta muito, no outro caso a cultura nerd, é como encontrar o amor em sua melhor amiga. Ou como misturar cheddar com molho barbecue. Ainda não sei ao certo.

Sou a favor de um humor mais inofensivo, mais ingênuo. Todo tipo de piada que tem um alvo fácil me lembra os tempos de escola, quando os babacas da sala usavam a comédia como uma arma covarde para atacar os elos mais fracos da turma. Esse humor excludente foi excluído desta coletânea. É uma nova esperança, por assim dizer, ainda que vinda de uma galáxia muito, muito distante.

Fora o papinho engajado, são piadas muito, muito engraçadas, que você provavelmente só vai encontrar aqui! Uma espécie de Grimoire do universo nerd, entende? Claro que você me entende. E eu fico feliz por isso.

Sou nerd, sempre fui nerd e sempre me senti excluído em algumas instâncias por conta disso. Lendo essas piadas eu descobri, finalmente, que não estou sozinho! Espero que você tenha uma boa leitura.

Fernando Caruso é ator, autor, professor e diretor. No teatro, é criador do primeiro espetáculo de improvisação de cara limpa do Brasil, Z.É. – Zenas Emprovisadas, ganhador do Prêmio Shell de 2005. Também é membro fundador do Comédia em Pé, o primeiro grupo de stand-up comedy brasileiro. É professor assistente no Teatro Tablado e ministra um workshop duas vezes por ano, intitulado "Teoria da comédia e prática da improvisação". Na TV, fez inúmeras participações pela Globo e possui seu próprio programa no canal a cabo Multishow, chamado De cara limpa, em que tenta levar humor para lugares inóspitos e inusitados. Em casa, preferiria estar jogando RPG e lendo revista em quadrinhos.

Piadas de cultura nerd

- A necessidade é a mãe da invenção. Mas MacGyver é o pai!
- O que o Link disse para a Zelda quando ela estava presa? "Try force."

- O que a princesa Zelda gosta de ouvir quando vai a um piquenique?
  Link in Park.

- Você sabe que está viciado em CS quando vai de faca para a escola para chegar mais rápido.

- O que é um astrólogo num cavalo?
  Um cavaleiro do zodíaco.

- O que Leonardo da Vinci pintou depois de assistir a *Cavaleiros do zodíaco*?
  A Saint Seiya.

- Qual é o Cavaleiro do Zodíaco que mais vende roupas?
  C&A.

- Malandro é o Mario, que tira dinheiro de tijolo.

- Malandro é o Ash, que faz tráfico de animais em esferas e não vai preso porque é "dimenor".

- Malandra é a Mulher Maravilha, que comprou um jato invisível para ninguém ver os amassados.

- Malandros são os Power Rangers, que arrumam treta e no fim chamam o Megazord.

- Malandras são as Tartarugas Ninjas, que moram no esgoto para não precisar pagar IPTU.

- Malandro é o Aquaman, que vive embaixo d'água para não precisar lavar louça.

- Malandra é a Peach, que fica com o Mario e com o Luigi e ainda é chamada de princesa.

- Mais vale um Articuno na mão do que Zapdos voando.

- Em terra de cego, Demolidor é rei!

- Quem ama o nerd, Bill Gates lhe parece.

- Antes tarde Duke Nukem.
- Casa de nerd, espeto de sabre de luz.
- É melhor prevenir do que usar potions.
- Magikarp em Geodude, tanto bate até que foge.
- Em terra de orc, quem tem um olho é Sauron.
- Vão-se os anéis, ficam os hobbits.
- Qual é o queijo mais popular na trilogia *Senhor dos Anéis*? O queijo Minas Tirith.
- O que os arqueólogos encontraram quando escavaram Mordor? Um dino-Sauron.
- Sauron foi o precursor do Middle Earth Street View.
- Em momentos de tristeza, lembre-se: ninguém perdeu tantos ents queridos quanto o Barbárvore.
- O nerd que nunca deu pause para ver a calcinha da Chun-Li que atire o primeiro joystick!
- São Jorge matou um dragão. A cavalo. NA LUA. Devia ser o santo padroeiro da ficção científica!
- "Ahhh, sei, é aquele campeonatinho de *Winning Eleven* da vida real, né?" Nerd sobre a Copa do Mundo.
- Qual foi o primeiro treinador Pokémon da história? Noé. Ele também teve que pegar todos – e ainda dois de cada!
- Mulher bonita, para nerd, é que nem Pokémon. Só nocauteando para pegar.
- Que carro o Pikachu pediu quando foi à concessionária? Pikapi.
- Quem é a mulher do Psyduck? A psicopata.

- Qual é o console favorito da banda Restart?
  Game Boy Color.

- Seria Justin Bieber a evolução do Jigglypuff?

- Qual é a bebida favorita dos zumbis?
  Johnnie Walking Dead.

- O que é um estudante recém-formado de medicina mal-intencionado?
  Um Resident Evil.

- No Brasil os gatos têm sete vidas, nos EUA, nove. Já no Japão eles têm sete vidas e três continues.

- Quantos Sayajins são necessários para trocar uma lâmpada?
  Só um! Mas demora pelo menos uns dez episódios...

ME DÁ UM AUTÓGRAFO?

- Está preocupado com o planeta e se pergunta como poderemos salvá-lo? Levante suas mãos e ajude Goku a fazer a Genki Dama!

- Qual é a peça de roupa preferida da Bulma e da Videl?
  Saia jeans.

- O que o Vegeta disse quando engasgou com uma azeitona?
  "Maldito kakaroço!"

- Uma grande pergunta é: Por que ninguém nunca atirou na boca do Robocop?

- "Faça um exército de mil homens e serás um general. Faça um exército de mil orcs e serás um nerd." Sun Tzu, sobre os nerds.

- Dizem que videogame afeta as crianças. Não é verdade! Se *Pacman* tivesse afetado, correríamos em salas escuras tomando pílulas e ouvindo músicas repetitivas... Oh, wait!

- *Crepúsculo* é como futebol: duas horas de rivais correndo atrás da mesma coisa e um bilhão de fãs dizendo que é você que não entende...

- Xadrez é um jogo estranho. O peão é pequeno, devia se chamar "criança". E o bispo só devia poder comer... Deixa pra lá.

- Se o Pateta é um cachorro e o Pluto também, por que o Pateta fala, mas o Pluto não?

- Se o Dick Vigarista precisa estar na frente para preparar suas armadilhas, por que ele não aproveita e, tipo, GANHA a corrida?

- Se o Coiote pode ligar e comprar tanta coisa da Acme, por que ele não pede uma pizza?

- Como é que o Tarzan conseguia estar sempre barbeado?

- Qual é a revista mais lida pelos robôs mais ricos do mundo? Trans-Forbes.

- O Snape detesta montanha-russa com muito Lupin, mas a Ninfadora.

- Por que a Hermione morreu de susto quando o Rony quebrou a varinha?
  Porque ele apontou para ela e disse: "A vara kebrada!"

- POF!
  – O que aconteceu, você deu de cara com a parede?
  – Não, eu estava tentando ir para Hogwarts.

- Se Harry Potter fosse brasileiro, Lord Voldemort teria se imortalizado criando seis orkutes.

- Se Harry Potter fosse brasileiro, ele entraria em Hogwarts pela nota do Enem: Exame Nacional do Ensino Mágico.

- Por que todo enxadrista é bom em *Guitar Hero*?
  Porque já sabe fazer o roque.

- Fãs de Restart, pensem nisto: Se o Darth Vader usasse roupas coloridas, ele seria respeitado? Imaginem que blasfêmia seria: "Venha para o lado colorido da força".

- Nerds filosofando:
  – Se tempo é dinheiro, então seria o caixa eletrônico uma máquina do tempo?
  – Hum... boa sacada!

- Power Balance, fabricante da "pulseira do equilíbrio", admite fraude na Austrália. Que pena, achava importante haver um sistema autotag de trouxas.

- O que estava escrito na dedicatória do livro que deram à princesa de Alderaan?
  À princesa, Leia.

- O que o Jedi falou para o Sith antes de matá-lo?
  "Sithdeu."

- Deus, dai-me paciência, pois se me der força... viro Sith!

- O que o C:\Darth_Vader disse para o C:\Darth_Vader\Luke?
  "Luke, I'm your folder."

- O que um viciado em jogos MMORPG diz quando cantam sua namorada?
  "Ei! Sem KS, cara!"

- Quando eu vou ao boteco, sempre tomo Double Damage!

- O que o Beholder foi fazer no supermercado?
  Comprar xampu para cabelos olhosos.

- Por que o ET assiste ao Big Brother?
  Porque é um alienado. Deve ser por isso que ele só fala de telefone e de casa...

♪ O George Harrison atende a porta:
  – Olá, o Ringo Starr?
  – Não, foi Paul McCartney no correio.
  – E o John?
  – Tá Lennon.

♪ Qual é o estilo musical favorito do: a) Pikachu; b) Gyarados; c) Geodude?
  a) Techno; b) New wave; c) Rock.

♪ Qual é a banda favorita do: a) Luke Skywalker; b) Iron Man; c) Voldemort?
  a) Rebelde; b) Iron Maiden; c) Inimigos do HP.

♪ Qual é a banda mais tocada: a) na *Corrida maluca*; b) em Pandora; c) na Umbrella Corporation?
  a) Barão Vermelho; b) Blue Man Group; c) Nação Zumbi.

♪ Qual é a música favorita das peças de xadrez?
  "Ado, a-ado, cada um no seu quadrado."

- 👾 Em rio que tem piranha, Mario nada usando estrela.

- 👾 O que o Mario disse quando terminou com a princesa?
  "It's not you. It's me, Mario!"

- 👾 O que o Mario disse quando perdeu um processo judicial para o Sonic?
  "É que eu Nintendo nada de leis. E a justiça é Sega!"

- 👾 O que o Mario disse para a planta carnívora num dia de fúria?
  "Sua mãe é uma piranha e seu pai é uma florzinha!"

- 👾 Jogando Mario Bros, descobrimos o valor da vida – cem moedas de ouro.

- 👾 Se cem moedas = uma vida, quantas vidas tem o Eike Batista?

- 👾 Qual é a bebida preferida do Mario?
  Sex on the Peach.

- 👾 Por que o Mario assiste ao TV Fama?
  Porque sonha em pegar as estrelas.

- 👾 Por que o Mario foi ao psicólogo?
  Porque estava passando por uma fase difícil.
  E por que ele estava passando por uma fase difícil?
  Porque entrou pelo cano!

- 🎬 Ash encontra um cadáver na cidade de Vermillion. Qual é o nome do filme?
  Mewtwo matou um cara.

- 🎬 Acaba a luz do cinema em *Tron, o legado*. O que o filme vira?
  Troff, o deslegado.

- 🎬 Como se chamará o próximo filme do Hulk?
  Hulk 2 – Vale a pena verde novo.

- ♥ Por que a mulher do Hulk o largou?
  Porque ela procurava alguém mais maduro.

▼ Quem é o maior vilão do Flash?
Steve Jobs.

▼ O que o Coringa disse quando assistiu a TV a cabo?
"Why so series?"

▼ O que a Lady Gaga cantou depois de sair com o Batman?
"Oh-oh-oh-oh-oooh, caught in a Bat-romance."

▼ Como o Batman dorme?
De Bruce.

▼ Por que o Homem-Aranha não vai ao Xuxa Park?
Porque tem medo de encontrar duendes.

▼ Por que a Hera Venenosa foi ao show do Ritchie?
Porque ela adora "Menina veneno".

▼ O que o Flash disse para a Mulher Maravilha antes de dar uma rapidinha?
"Vai ser bom, não foi?"

▼ Princesa Diana. Para a maioria da população: princesa britânica que morreu em acidente trágico. Para os nerds: Mulher Maravilha.

▼ Por que o Superman usa cueca por cima da calça?
É o que acontece quando você se troca numa cabine telefônica.

▼ Por que a Lois Lane precisa chamar o Superman para resolver seus problemas?
Porque o Clark can't.

▼ Qual foi a partida de Jokenpo mais injusta do mundo dos super-heróis?
Wolverine vs. O Coisa.

▼ Por que o Wolverine procura sempre se manter ocupado?
Para não ficar coçando o saco.

▼ Qual é o herói mais metal na veia?
Wolverine.

▼ Qual é a banda favorita do professor Xavier?
Os Mutantes.

▼ Qual é o super-herói presente no corpo das mulheres?
O Hí-Men. Mas hoje em dia é difícil achar mulheres com super-heróis...

CHUCK NORRIS NERD FACTS!

★ Gandalf disse a Chuck Norris: "You can pass".

★ Chuck Norris sabe qual é a pergunta fundamental sobre a vida, o universo e tudo mais.

★ Chuck Norris dá fatality no *Street Fighter*.

★ Bruce Banner com raiva se transforma em Hulk. Hulk com raiva se transforma em Chuck Norris.

OFENSA NERD!

✏ Sua mãe é tão gorda que é preciso duas pokéflautas para ela levantar!

✎ Sua mãe é tão feia que ganhou um selo do Orkut de "Melhor cosplay de *Walking Dead*".

✎ Sua mãe é tão gorda que eu invitei ela para a party e ela ocupou cinco slots!

✎ Sua mãe é tão peluda que já aprendeu o idioma wookie.

✎ Tu é mais chato do que apelar na rasteira no *Street Fighter*.

CANTADA NERD

♥ – Você é personagem de RPG?
 – Não, por quê?
 – Porque você tem o aprimoramento sedução +100!

♥ Olá, princesa, meu nome é Mario. Não quer dar um rolé comigo atrás do armário?

@PiadasNerds